intrépide Sarah

Castor Poche
Collection animée par
François Faucher et Martine Lang

Titre original :

SARAH BISHOP

Editeur original :

HOUGHTON MIFFLIN COMPANY

À Elizabeth

Une production de l'Atelier du Père Castor

SCOTT O' DELL

intrépide Sarah

traduit de l'anglais (États-Unis) par
MARTINE DELATTRE

Castor Poche Flammarion

Scott O'Dell, l'auteur, est né à Los Angeles en 1919 « à une époque, disait-il, où l'on y voyait plus de chevaux que d'automobiles, et plus de lièvres que d'êtres humains ». Il a toujours vécu en Californie du Sud. Tout près de la frontière mexicaine en particulier et jamais bien loin de la mer, et c'est pourquoi, selon lui, l'océan et l'idée de frontière sont presque toujours présents dans ses livres.

Des livres, il en a écrit une vingtaine, depuis un quart de siècle environ. Ils sont, pour la majorité, destinés aux adolescents. Il préférait écrire pour un jeune public parce que « les jeunes réagissent bien davantage à ce qu'ils ont lu et n'hésitent pas à écrire à l'auteur ». Mais il affirmait n'écrire pas seulement pour un public, mais bien porté par une nécessité intérieure. De plus, comme il le soulignait lui-même, tous ses récits se situent dans « ce domaine émotionnel que partagent enfants et adultes ».

Bon nombre de ses récits ont pour point de départ une réalité historique, et mettent en scène des adolescents aux prises avec un monde tourmenté, où rien n'est jamais ni blanc ni noir, où les choix ne sont jamais simples, mais ne peuvent pas non plus s'éluder.

Scott O'Dell a reçu aux États-Unis, pour tout ou partie de son œuvre, plus d'une dizaine de récompenses littéraires, parmi les plus enviées. Scott O'Dell est mort à la fin de l'année 1989.

Du même auteur, traduits en français, dans la collection Castor Poche :

L'Énigme de l'Amy Foster n° 127
La Complainte de la lune basse n° 216
Le Défi d'Alexandra n° 316

Martine Delattre, la traductrice.

« Après avoir vécu six ans à New York, puis quatre à Paris, j'habite à Casablanca, au Maroc. Je n'ai jamais fait que des traductions, alors que je suis sociologue de formation. Mais les deux sont beaucoup plus liés qu'on ne pourrait le croire. Depuis toujours, j'aime traduire : version latine, grecque ou anglaise. J'ai l'impression de contribuer un peu, de cette manière, à la circulation des idées d'un pays à l'autre. »

Christian Broutin, l'illustrateur de la couverture, est né le 5 mars 1933, par un curieux hasard, dans la cathédrale de Chartres... Après des études classiques, il est élève à l'Ecole des métiers d'art et sort le premier de sa promotion. Il est l'auteur d'une centaine d'affiches de films ainsi que de nombreuses couvertures de livres et de magazines.

Intrépide Sarah :

Peu avant la révolution américaine (1775-1782), la famille Bishop arrive dans les colonies et s'installe à Long Island. Elle va être décimée par la guerre civile, et Sarah se retrouve seule.

Elle s'enfuit dans une région sauvage; désormais, elle vivra isolée dans une grotte, affrontant le rude hiver, les animaux sauvages et aussi l'hostilité des hommes qui n'aiment pas les gens différents.

Cette histoire est basée sur la vie de Sarah Bishop. Sarah est née à Midhurst, dans le West Sussex, en Angleterre. Peu avant la révolution américaine (1775-1782), la famille Bishop arrive dans les colonies et s'installe à Long Island. Après la bataille de Brooklyn Heights et pendant que la ville de New York brûle encore, elle s'enfuit dans une région sauvage du comté de Westchester. Dorénavant, elle va vivre à Long Pond, que les Indiens de la région appellent Waccabuc.

Le capitaine Cunningham, le prévôt anglais, qui « affamait les vivants et nourrissait les morts » et qui joua un rôle important dans la vie de Sarah, fut jugé en Angleterre, après la guerre, pour faux et usage de faux, et condamné à la pendaison.

Scott O'Dell

1

Des coups de feu retentirent, quelque part au loin, du côté du moulin de Purdy.

On entendit des détonations, puis le sifflement des balles, assez proche. Je n'en vis aucune, mais au bruit, on les devinait puissantes et menaçantes. Père me dit qu'elles étaient de fabrication anglaise. Comment pouvait-il le savoir ? Je ne lui demandai pas. Je ne posais jamais de questions quand il se montrait aussi sûr de lui. En outre, j'avais bien trop peur pour parler.

C'était la fin de la journée et nous étions dans notre champ de trèfle. Il s'étendait de part et d'autre d'un ruisseau limpide serpentant entre les collines jusqu'à Wallabout Bay. La brise faisait onduler le trèfle comme des vagues sur la mer.

– Il s'agit d'un homme seul, dit mon père.

C'est Quarme. Jim Quarme, le nouvel employé de Purdy. Il est fou d'armes à feu! Il a reçu un nouveau fusil hier. J'étais à la taverne lorsque la voiture de la poste est arrivée. C'était bien enveloppé, dans un sac de mousseline. Il l'a ouvert devant nous; il contenait un fusil à pierre tout neuf et une grosse boîte de balles. Il y avait écrit Salwich, Angleterre. C'est comme ça que je sais d'où proviennent les balles.

– Pourquoi Quarme tire-t-il sur nous?

– Il ne tire pas sur nous. Il tire dans notre direction. Pour nous avertir.

– De quoi?

– Qu'il possède un fusil tout neuf. Qu'il est pour la révolution. Qu'il voudrait chasser le roi George et ses hommes hors du pays. Et qu'il sait que nous sommes contre la révolution et pour le roi George.

Une autre balle siffla au-dessus de nos têtes, plus près que les autres me sembla-t-il. Je pensai que ce serait une bonne idée de nous abriter dans la maison en attendant que Quarme s'arrête de tirer. Mais mon père ne bougea pas. C'était un homme grand, avec un visage maigre et un menton têtu, qu'il frottait toujours quand il réfléchissait.

Il resta là, à se frotter le menton jusqu'à ce que les coups de feu cessent. Alors il entra dans la maison sans dire un mot. Je rassemblai le trèfle que j'avais coupé et donnai à manger aux deux vaches, puis je me mis à traire Talitha. Mon frère trairait Tabitha, lorsqu'il rentrerait de son travail, à la taverne Le Lion et l'Agneau. C'était de magnifiques gloucesters, couleur acajou avec une étoile blanche sur le front.

Les dernières lueurs du soleil brillaient, jaunes comme du beurre, sur le pré et la rangée de pommiers, plantés depuis très longtemps. Les arbres, surtout des roxbury russets, ployaient sous les fruits. Père comptait emporter toute la récolte au marché, sauf quelques barils qu'il garderait en prévision de l'hiver et quelques kilos que j'utiliserai pour faire de la compote. Mes tartes n'étaient pas très bonnes, ni mes sauces d'ailleurs. Ma mère m'avait enseigné un peu de cuisine avant de mourir, mais je n'étais pas une bonne cuisinière. Demandez à mon frère, Chad.

La journée avait été particulièrement chaude, même pour un mois d'août. Jusqu'à la brise, venue de la mer, qui était porteuse de chaleur. J'allumai donc le feu dans le foyer extérieur, parce qu'il faisait plus frais que dans la maison, et confectionnai des galettes avec le poisson que Chad avait pêché, du maïs que nous faisions pousser et du lait frais.

Père regagna la maison lorsqu'il fit trop sombre pour travailler. Chad devait être encore à la taverne.

Père était inquiet :

– Il est rentré tard toute cette semaine.

– Chad dit que la taverne est remplie de voyageurs arrivés de partout.

– Surtout de Boston. Les habitants ont chassé l'amiral de la ville. Il s'est réfugié à Halifax. Mais les plus avisés pensent qu'il va revenir un de ces jours, appuyé par toute la flotte anglaise. Ils ne feront qu'une bouchée de tous ces soi-disant patriotes.

Père était amer vis-à-vis de la rébellion. Il en parlait beaucoup et quand il n'en parlait pas, il y pensait. Nous avions un portrait du roi George, coiffé de sa couronne et vêtu d'un long manteau orné de pierres précieuses. Ce portrait était suspendu au-dessus du lit de mon père. Et tous les matins et tous les soirs, il se mettait au garde-à-vous devant et levait la main comme un soldat pour le saluer, alors qu'il n'avait jamais été soldat de sa vie et n'en avait jamais eu l'intention.

Mais trois semaines plus tôt, le portrait avait disparu. Père avait accusé Chad de l'avoir décroché. Chad avait nié et juré sur la Bible, Père ne l'avait quand même pas cru. Ils ne s'étaient pas parlé pendant toute une journée. Et puis, finalement, mon frère avait admis qu'il avait jeté le portrait du roi George au feu.

– J'apprends des choses à la taverne, dit-il. Et d'abord, qu'il vaut mieux garder ses opinions pour soi.

– Un homme doit pouvoir faire ce qu'il veut dans sa propre maison, répondit Père. Même accrocher un portrait du diable, s'il en a envie.

– Si l'un des patriotes voit le portrait du roi George, toute la région le saura le lendemain avant midi.

– Un homme doit aussi être fidèle à ses idées et ne pas mâcher ses mots.

– C'est ce que le vieux Somers, là-bas, à Hempstead, a voulu faire. Il a traité John Adams de hâbleur. Les patriotes l'ont su et sont venus brûler sa porcherie. Ils lui ont dit que s'il continuait, la prochaine fois, ce serait le tour de sa grange.

Père jeta un regard acéré à Chad.

– Commencerais-tu à avoir peur ? Tu n'es pas en train de changer de camp au moins ? Je ne vais pas me réveiller un beau matin pour découvrir que tu as rejoint les skinners ?

Les skinners étaient des bandes de jeunes gens qui brûlaient les propriétés des loyalistes* et voulaient pendre le roi George à l'arbre le plus proche. Je savais que Chad avait plusieurs amis qui appartenaient aux skinners. Et qu'il n'était pas aussi opposé à la rébellion que Père. En fait, il m'avait dit, une fois, qu'il n'avait pas envie de payer des impôts à un roi vivant à des milliers de kilomètres de là.

Je posai les galettes de poisson sur la table avec un bol de sauce tomate et allumai la lampe.

Père s'assit et dit les grâces. Puis il demanda à Chad :

– Tu es sûr que tu fais simplement preuve de prudence, que tu ne changes pas d'avis sur la guerre?

Chad enfourna une galette dans sa bouche et resta silencieux. La lumière de la lampe illuminait son visage. Il avait les pommettes hautes, comme les miennes, et quelques taches de rousseur de part et d'autre de son nez. Moi aussi, j'avais des taches de rousseur, mais elles étaient plus jolies sur le visage de Chad que sur le mien, disait Père, et je crois qu'il avait raison. Les gens voyaient bien que nous étions frère et sœur, quoique les cheveux de Chad fussent noirs et les miens blonds.

* Habitants des colonies restés fidèles au roi George III.

– Non, je suis simplement prudent, répondit Chad, la bouche pleine. J'essaie de ne pas m'attirer des ennuis, à cause des skinners et des patriotes.

Tout fut tranquille pendant un moment. Puis on entendit un bang en provenance du moulin de Purdy, et l'instant d'après, un sifflement, comme un long soupir, passa au-dessus de la maison.

Chad se leva pour éteindre la lampe et nous restâmes assis dans le noir.

2

La pluie tomba pendant deux jours entiers, accompagnée d'un fort vent d'ouest. Mais le matin du troisième jour, le ciel commença à s'éclaircir. J'attelai la jument baie à la charrette et me mis en route vers le moulin de Purdy pour acheter de la farine et dire à M. Purdy que nous ne pourrions pas le payer avant la moisson.

La jument enfonçait dans la boue jusqu'aux boulets et le ruisseau avait grossi, si bien qu'il me fallut plus d'une demi-heure pour arriver. M. Purdy m'avait vue de loin car il attendait devant la barrière. Je lui jetai les rênes et il les enroula d'un geste ferme autour de la barre.

– La dernière fois, la jument n'était pas bien attachée, dit-il. En reculant, elle m'a renversé deux sacs entiers de maïs. Il y en avait partout.

M. Purdy avait un visage rose et rond et le corps en forme de tonneau, large au milieu et plus étroit en haut et en bas. Le fait qu'il se fût souvenu du maïs renversé n'était pas de bon augure pour ce que je voulais lui demander. Aussi je ne dis rien avant d'être à l'intérieur.

M. Purdy portait un tablier de cuir, couvert de farine, qui tombait presque jusqu'à ses pieds, mais ses mains étaient propres et roses. Il s'était toujours montré aimable avec moi jusqu'à ces derniers temps. En réalité, depuis le début de l'été, lorsqu'on avait commencé à parler de la guerre contre l'Angleterre et que les disputes avaient éclaté, il avait changé.

Il sourit en montrant ses dents dont les bords étaient usés.

– Que puis-je faire pour vous, Miss Sarah? J'espère que vous n'êtes pas venue mendier. Ça fait deux fois ce mois-ci.

– Je ne suis pas venue mendier.

M. Purdy regarda le mouchoir que j'avais roulé dans ma main.

– Vous avez peut-être quelque chose là-dedans ? Un shilling ou deux. Ou une livre. Voyons un peu.
– Je n'ai rien, répondis-je en dépliant mon mouchoir vide et en le roulant en boule à nouveau. Mais nous vous paierons lorsque le maïs sera mûr. Nous aurons une belle récolte. Meilleure que l'année dernière. Il y a trois ou quatre épis sur chaque tige et nous avons planté onze acres.

M. Purdy poussa un levier et les deux meules plates en pierre s'arrêtèrent dans un soupir triste. Il se dirigea vers un tonneau et prit une petite pelle. Il remplit de blé moulu un sac de jute sur lequel était imprimé un P.

Le sac était petit et lorsqu'il fut seulement à moitié plein, M. Purdy le ferma avec une ficelle.
– Voilà qui devrait aller jusqu'à la moisson, déclara-t-il.
– Nous sommes trois. Ça ne va pas durer longtemps.
– Trois maintenant, mais peut-être moins dans peu de temps.
– Que voulez-vous dire ? demandai-je, surprise.
– Je veux dire que des membres de votre famille... (Il s'interrompit pour s'essuyer les

yeux.) Votre père, par exemple, est trop bavard.
– Je ne comprends pas.
– C'est un tory, voilà ce que je veux dire et il parle le langage tory. Il a même un portrait du roi George accroché au mur.
– Il n'y est plus.
– Non ? C'est une bonne nouvelle. Mais il y a été pendant longtemps. L'un des patriotes l'a vu. Jarvis, le ramoneur, qui nettoie votre cheminée.

Il leva les yeux vers l'étage où quelqu'un marchait doucement.
– Écoutez. (Il posa une main paternelle sur mon épaule.) Je vous aime bien, Sarah. J'aime même bien votre père, aussi entêté qu'il puisse être. Mais nous vivons une époque dangereuse. Moi, comme des centaines d'autres, je prends des risques dans cette guerre qu'on nous a forcés à faire. Il est intolérable que des gens accrochent des portraits du roi George dans leur maison.
– Je vous ai dit qu'il n'y était plus.
– Je sais, je sais. Mais votre père parle. La semaine dernière seulement, il a pris la parole dans une réunion pour nous encourager à déposer les armes, à essayer de raisonner avec les Anglais.

J'étais sur le point de lui répondre lorsqu'un rayon de lumière, pénétrant par la lucarne la plus haute, près du toit, m'aveugla l'espace d'un instant. Puis je vis un homme qui se penchait. Il portait un sac de farine dans ses bras.

– Vous avez des souris, cria-t-il à M. Purdy.

L'homme était plus jeune que je ne l'avais cru d'abord, mais il boitait lorsqu'il descendit pour déposer le sac aux pieds de M. Purdy.

– Elles en ont mangé la moitié, dit-il en montrant du doigt un trou fait par les souris.

D'après ces paroles, je compris que c'était Quarme, le nouvel employé, celui qui était fou de fusils. Il tourna la tête et me regarda.

– La vermine est partout de nos jours, dit-il.

– C'est bien vrai, acquiesça M. Purdy.

Quarme était mince avec un cou maigre qui se terminait par une petite tête osseuse. Il m'examinait du coin de l'œil. Ses yeux, profondément enfoncés, avaient une expression sauvage.

Le soleil tomba sur le canon cerclé de cuivre d'un fusil tout neuf qui était derrière lui. J'eus envie de lui demander si c'était le fusil dont il s'était servi pour tirer en direction de notre maison. Mais je me retins, empoignai le petit sac de blé et voulus le porter dans la charrette. M. Purdy me le prit des mains et le fit à ma place avec un grognement.

– Le sac n'est pas si lourd, dis-je, pensant qu'il voulait me le faire croire. Pas assez lourd pour faire grogner un homme aussi fort que vous, monsieur Purdy.

Il soupira et s'essuya le front.

– Je me sens assez fatigué, en ce moment. Voilà trois nuits que je travaille pour réparer le mécanisme.

– Épouvantable, dit Quarme qui nous avait suivis dehors.

– Il y a trois nuits, continua M. Purdy, à minuit sonnant, le moulin s'est arrêté. Il a fait clanc, clanc et puis plus rien. J'ai démonté la machine, je l'ai huilée pièce par pièce et remontée. Mais la même chose s'est produite la nuit suivante. J'ai encore tout démonté et remonté. Et la nuit dernière encore. La troisième nuit d'affilée.

– Mon père sait réparer toutes sortes de machines, dis-je, le regrettant dès que j'eus parlé, parce que le visage de M. Purdy se renfrogna.

– Ce n'est pas la machine qui a besoin d'être réparée. Ce qui se passe là n'est pas normal. (Le meunier fit une pause.) J'ai oublié de vous dire : la nuit dernière, je n'ai

rien fait lorsque la machine s'est arrêtée. Et, à l'aube, sans que j'y ai touché une seule fois, il s'est remis en marche.
– Étrange, constata Quarme.
– Ça ne peut pas être la vieille Mme Ryder, plaisantai-je. Elle est partie en voyage à New York.

Certaines personnes, dans le village de Mott's Corner, croyaient encore aux sorcières. Elles étaient convaincues que Mme Ryder, qui vivait près de l'étang avec pour seule compagnie un gros chat noir, en était une.
– Non, c'est quelqu'un qui s'y connaît en mécanique, répondit M. Purdy. Je vais monter la garde, cette nuit, un fusil à la main. Et au premier bruit, je tire.

M. Purdy, en disant cela, me lança un regard rapide, et je compris qu'il soupçonnait mon père et tenait à ce que je lui transmette le message.

Sous le siège de la charrette se trouvait un bocal de confiture de mûres sauvages que j'avais eu l'intention d'offrir à M. Purdy. Mais je ne le fis pas. Je rassemblai les rênes et partis très vite. Tandis que je ralentissais pour traverser le ruisseau, il me cria :
– N'oubliez pas de me rapporter le sac. C'est du bon jute.

3

La pluie avait cessé le temps que j'arrive à la maison et que je décharge le sac à moitié plein qui avait fait grogner M. Purdy. Père était dans la grange, en train d'arranger l'ancienne horloge que la vieille Mme Ryder avait apportée, lorsqu'elle avait traversé la rivière pour aller voir son fils à New York.

Avant de venir en Amérique, quand nous habitions en Angleterre, nous avions une ferme. Nous élevions quelques moutons et nous plantions des pommes de terre une année et du lin la suivante. Père travaillait dur et tout allait bien pour nous. Et puis, il y eut trois années consécutives de mauvaise récolte. Ils nous fut alors impossible de payer le fermage et il fallut nous installer dans le village de Midhurst.

Père loua ses services comme homme à tout faire, réparant l'argenterie ou les pendules. Il aimait ce travail mais ma mère regrettait la ferme. Tous les soirs au souper, elle se plaignait de la vie villageoise.

Un jour, elle apprit de la bouche de notre pasteur, M. Brandon Carroll – qui était allé en Amérique et en était revenu pour essayer de recruter des gens – que la terre était bon marché, dans un endroit appelé Long Island. Il disait qu'on y faisait pousser n'importe quoi et qu'on trouvait toujours à vendre ses produits parce que la ville de New York était toute proche, juste de l'autre côté de la rivière.

Ma mère entendit ces nouvelles chez le pasteur le 17 mars. À la fin du même mois, nous voguions vers l'Amérique.

Nous étions donc redevenus des fermiers et Père se livrait à toutes sortes de menus travaux pour joindre les deux bouts, en attendant que la ferme donne suffisamment et nous permette de rembourser l'argent que nous avions emprunté.

Je rentrai dans la maison préparer le repas : de la soupe de poisson, des cornichons doux que j'avais mis en bocaux au début de l'été et du pain frais que j'avais cuit le matin même. Je racontai à Père l'histoire du moulin de M. Purdy. Je lui dis aussi que, pour plaisanter, j'avais avancé le nom de la vieille Mme Ryder.

– M. Purdy a annoncé qu'il allait monter la garde cette nuit avec un fusil et qu'il tirerait au moindre mouvement suspect. Il m'a fixée d'un air entendu, comme s'il me chargeait d'un message.

– Ce n'est pas moi et ce n'est pas non plus Mme Ryder, rétorqua Père en riant. C'est peut-être Quarme. D'après ce que j'ai vu, il a la tête d'un illuminé. Il a peut-être arrêté le moulin à minuit et l'a remis en marche à l'aube afin d'éviter les longues heures de travail que Purdy exige de ses employés.
– C'est bien possible. M. Purdy m'a également transmis un autre avertissement.

Je racontai à mon père qu'il ne voulait plus nous faire crédit. Et que, pire encore, il avait rechigné pour nous donner de la farine.
– Il a dit que nous étions peut-être trois à manger en ce moment à la maison mais que, bientôt, nous serions moins de trois.

Père, qui était en train de porter une cuillerée de soupe à sa bouche, la reversa dans le bol et posa sa cuillère à côté. Il se leva, alla à la porte et regarda en direction du moulin. Puis il claqua la porte, et alluma une lanterne qu'il accrocha au mur pour nous éclairer, à présent qu'il avait empêché le soleil d'entrer. Il ne prononça pas un mot. Il laissa sa soupe refroidir, les yeux rivés au sol.
– Peut-être que M. Purdy ne voulait pas vraiment dire ça. Peut-être veut-il simplement te faire peur, pour que tu changes

d'avis au sujet du roi George, suggérai-je.
– Il veut m'effrayer, c'est vrai. Ça fait des mois qu'il essaie. Mais il n'a pas réussi, Sarah. C'est la bande qui est avec lui et écoute ses élucubrations qui me fait peur. Hubert Hines, le contrôleur, Burton, le brasseur, John Seldon, le postier, qui sème les médisances comme la vérole entre Boston et ici. Et aussi Birdsall. Lui, c'est le pire.
– M. Purdy voulait savoir pourquoi nous n'avons pas de quoi payer un sac de farine, alors que tu travailles et qu'on te paie pour ça. Je me le demande aussi, parfois. Pourquoi manquons-nous à ce point d'argent que je doive acheter à crédit chaque semaine? (Je m'enhardis :) Est-ce que tu l'enterres quelque part?
– Peut-être.
Je n'en fus pas surprise.
– Je l'enterre depuis le début de l'été, admit-il. Depuis la première fois que Purdy m'a menacé et que Birdsall a commencé ses expéditions punitives.
– Ne faudrait-il pas que je sache où il est? Au cas où.
– Non. Si tu le savais et que Birdsall et sa bande viennent le chercher, tu serais obligée de le leur révéler.
– Je ne ferais jamais ça.

– Tu ne sais pas ce que tu ferais. L'autre jour, à Hempstead, Birdsall a réclamé leur argenterie à Seth Parsons et sa femme. Parsons a répondu qu'il l'avait vendue. Les gars de Birdsall l'ont tellement frappé qu'ils l'ont laissé inconscient. Il est mort deux jours plus tard. Quant à Mme Parsons, ils l'ont pendue par les pouces jusqu'à ce qu'elle le leur dise...
– En aucun cas je ne parlerai.
– Ce serait de la folie. Aucune possession ne vaut ta vie. Je ne vais pas te dire où je l'ai caché. Personne ne le sait à part moi. D'ailleurs, ce n'est pas de l'argent, c'est de l'argenterie.
– De l'argenterie?
– Oui.

Père se remit à manger sa soupe sans ajouter un mot. Lorsqu'il eut terminé son repas, il ouvrit la porte et resta un long moment à contempler le ruisseau rapide du moulin de Purdy et la roue qui tournait.

Père avait la peau mate et ses cheveux, noir jais, étaient longs. Il les portait attachés par un lien de cuir. Il avait l'air d'un Indien. Nombre de gens le prenaient d'ailleurs pour un Indien. Parfois, j'avais l'impression qu'il aurait bien voulu en être un, pour vivre dans la nature et se déplacer au rythme des saisons.

Il avait aussi le courage d'un Indien. Le courage de faire face à Purdy et à Birdsall. Il aurait pu garder ses idées pour lui. Il aurait pu raconter qu'il haïssait le roi George. Ou bien simplement se taire, comme la plupart des gens que nous connaissions.

4

Père reprit son travail sur l'horloge de Mme Ryder, dont le balancier ne marchait plus. Il le démonta, fit une soudure et le remit en place en lui imprimant une légère poussée.

Le balancier venait juste de se remettre en mouvement lorsque Chad entra dans la grange. Un petit jeune homme maigre, qui habitait une ferme de l'autre côté du moulin de Purdy, l'accompagnait. D'après ce que je vis, ils avaient bu tous les deux.

Père était très strict au sujet de la boisson. Je fus donc surprise que Chad se présente devant lui avec tant de hardiesse, même soutenu par la présence de David Whitlock, qui était étudiant et très religieux.

– Bonjour M. Bishop, dit David Whitlock.
– Bonjour, Père, dit Chad.

Ils saluèrent Père en même temps en s'inclinant avec raideur. À présent, j'étais certaine qu'ils avaient bu.

– Chad, pourquoi n'es-tu pas à ton travail? l'interpella mon père d'un ton bref. La journée n'est pas terminée.

Les deux garçons se regardèrent en souriant, comme s'ils partageaient un secret important. Puis ils se prirent par les épaules, tels des amis qui se seraient perdus depuis longtemps.

Je remarquai que Chad avait à la main un petit livret dont la couverture grise et écornée portait un titre imprimé : *Le Sens commun*, par un certain Thomas Paine.

Père le vit aussi.

– Où as-tu trouvé ce tissu de bêtises et de paroles creuses? demanda-t-il.

Chad et David souriaient toujours. Mais, tout à coup, ils reprirent leur sérieux. David dit :

– Puisque vous appelez « bêtises » cet écrit, je doute, monsieur, que vous l'ayez lu.

– Je n'ai pas besoin de le lire, répondit Père avec mépris. J'en ai assez souvent entendu parler. Les colonies sont anglaises par la naissance. Elles jouissent des traditions anglaises et respectent la loi anglaise.

Le jeune Whitlock prit le pamphlet des mains de Chad, remonta ses lunettes octogonales aux verres épais sur son nez et lut :

– *Nous pourrions aussi bien dire que, parce qu'un enfant a été élevé au lait maternel, il ne mangera jamais de viande ou que les vingt premières années de notre vie forment un précédent pour les prochaines vingt autres.*

– Mais l'Angleterre est notre mère patrie, dit mon père.

David se redressa sur ses jambes maigres, tourna une page et poursuivit :

– *Alors, elle mérite d'autant plus la honte pour sa conduite. Même les brutes ne dévorent pas leurs petits ni les sauvages ne font la guerre à leurs familles.*

Il humecta son pouce et reprit son équilibre.

– *L'Europe et non pas l'Angleterre est la mère patrie de l'Amérique. Le Nouveau Monde est un asile pour les persécutés de toute l'Europe, amoureux des libertés religieuse et civile.*

David rendit le livret à Chad et récita de mémoire :

– *Ils ont fui de toutes les régions d'Europe... Et la même tyrannie qui a chassé les premiers immigrants de chez eux, poursuit encore leurs descendants.*

Les garçons se tenaient sur le seuil de la grange. Le chaud soleil les éclairait, David toujours dans la pose d'un orateur, Chad serrant le pamphlet écorné contre sa poitrine. Une forte odeur de rhum émanait d'eux.

L'expression de Père n'avait pas changé, pendant que David Whitlock déclamait. Je doutais qu'il l'eût même entendu. Sans un mot, il marcha sur Chad et saisit le livre, comme s'il avait l'intention de le lire. Mais au lieu de cela, il le déchira en morceaux qu'il jeta par terre.

Chad ne dit rien. Il se contenta de lancer un coup d'œil à David. Il y eut un long silence. Puis, David Whitlock s'avança et fit un salut militaire.

– Monsieur, dit-il à Père qui avait regagné sa place sur son banc, nous avons signé aujourd'hui même nos papiers d'engagement.

– Nous partons ce soir pour le fort de Brooklyn, lâcha Chad.

Père posa le marteau qu'il allait utiliser et se tourna lentement vers eux.

– Vous avez fait quoi?

– Nous nous sommes enrôlés, dit Chad. Nous sommes soldats dans la milice et nous nous battrons contre le roi jusqu'à sa capitulation.

Je ne crois pas que Chad s'attendait que Père le serre sur son cœur en apprenant la nouvelle, considérant ce qu'il venait de faire avec le pamphlet, mais je suis certaine qu'il ne s'attendait pas à ce qui lui arriva.

– Sot que tu es! dit Père.

Il répéta ces mots et, en trois longues enjambées, fut sur Chad auquel il administra une claque sur l'oreille.

Mon frère ouvrit la bouche pour dire quelque chose mais ne réussit à émettre qu'un petit bruit. David Whitlock recula, pensant que son tour allait venir.

– Et ce n'est rien! cria Père. Les hommes du roi ne prendront pas la peine de te gifler. Ils te couleront du plomb chaud sous la peau.

David Whitlock déclara bravement :

– Les hommes du roi sont en fuite, monsieur. Ils ont quitté Boston. On raconte qu'ils se sont réfugiés en Nouvelle-Écosse.

– Ils reviendront un de ces jours, dit Père. Et je ne donnerai pas cher de votre peau. Le roi George possède les meilleures troupes du monde. Et les meilleurs navires. Des centaines de navires.

Il y eut un court silence, pendant lequel David Whitlock chercha une réponse. Chad marmonna quelques paroles qui n'avaient pas de sens. Avec ses longs cheveux qui lui tombaient sur les yeux et son visage tout rouge, il n'avait guère l'air d'un soldat. Je lui demandai s'il fallait lui préparer quelque chose à manger.

– Quelque chose que tu pourras emporter, Chad. Du pain, du fromage, du lait peut-être ?

Il secoua la tête.

– L'armée me fournira de quoi manger.

– Il est plus vraisemblable que tu te nourriras sur le dos du pays, dit Père. En volant des chèvres, des poules et des fruits aux honnêtes fermiers. En brûlant leurs granges, s'ils refusent, comme on l'a fait à Boston et ailleurs.

– Le sergent m'a dit que je serai affecté à l'intendance, puisque je travaillais aux cuisines à la taverne du Lion et l'Agneau. Je voyagerai dans un chariot et j'aurai de quoi manger.

– Tu seras plus souvent à pied que dans un chariot, rétorqua Père. Et tu auras plus souvent l'estomac creux que plein. Et tu auras les pieds gelés.

D'un regard, Chad quêta de l'aide auprès de son ami.

– Nous n'avons signé que pour deux mois, dit David.

– C'est bien assez long pour vous faire

fendre le crâne. Par les Hessiens, probablement. Vous en avez entendu parler? Ce sont des soldats professionnels. Des mercenaires, comme on dit. Ils viennent d'Allemagne et ce sont les guerriers les plus sauvages du monde.

L'horloge de la vieille Mme Ryder s'éclaircit la voix et sonna une heure.

David Whitlock fixa l'horloge à travers ses verres épais, qui faisaient paraître ses yeux deux fois plus gros. Il prit mon frère par le bras et l'informa qu'il était grand temps de s'en aller.

Chad considérait le fusil rudimentaire dont Père se servait pour chasser le gibier. Il l'empoigna et fit semblant de viser un ennemi imaginaire.

– J'ai besoin d'une arme, dit-il. Je le rapporterai quand mon engagement aura pris fin. Si vous le permettez, monsieur.

– Eh bien, je ne le permets pas, dit Père. Cette arme n'enlèvera aucun fils à sa mère dans cette guerre barbare. Remets-le à sa place.

Chad fit ce qu'on lui disait. Il avait des larmes dans les yeux. Je courus à la maison lui chercher une miche de pain mais, à mon retour, il était déjà parti.

Je suivis des yeux les garçons qui traversaient le champ de maïs d'un pas rythmé.

Chad s'arrêta et agita le bras. J'agitai le mien en retour. Père cria :
– Nous prierons pour toi, mon fils !

Et nous priâmes aussitôt, agenouillés sur les pierres du chemin, pendant que les garçons atteignaient le moulin de Purdy et disparaissaient parmi les arbres.

Cette nuit-là, je ne pus trouver le sommeil et pensai à Chad. Je me demandais s'il avait à manger. J'avais préparé ses plats préférés pour le souper et il n'était pas là pour les manger. Je me demandais aussi où il dormait. Certainement à même le sol. Son lit, au grenier, avait un matelas confortable ; il était en plumes de canard.

Je pensai au pamphlet que Père avait déchiré. Je me souvins des mots que David Whitlock avait récités : « *Le Nouveau Monde est un asile pour les persécutés...* »

Nous n'avions pas fui les persécutions mais on nous avait dépossédés de notre ferme et de nos biens, de nos moutons, de notre charrue, de notre faux et de notre baratte. Pourtant, ce n'était pas la faute du roi, si nous avions tout perdu. C'était la faute de la loi.

Je songeais à tout ça et m'interrogeais : pourquoi certains se rebellaient-ils contre le roi, et pourquoi d'autres se montraient-ils indifférents, du moment qu'on ne les importunait pas? Je réfléchissais, lorsque j'entendis le bruit d'un coup de feu; il provenait du moulin de Purdy.

Le lendemain matin, Clovis Stone, l'un de nos voisins, vint nous annoncer que Purdy avait tué un chat, un chat noir, aussi gros qu'un lynx. Le chat avait réussi à s'enfuir mais avait laissé une traînée de sang derrière lui. Purdy était certain que c'était le chat qui avait provoqué l'arrêt du moulin chaque nuit, à minuit exactement.

Et puis, cet après-midi-là, il se produisit une chose curieuse. Mme Ryder vint chercher son horloge. Elle était échevelée et ses yeux verts, qui ne vous regardaient jamais droit, épiaient les alentours.

La journée était chaude, mais la vieille femme avait jeté un châle sur ses épaules. Lorsqu'elle voulut payer mon père pour la réparation, le châle s'entrouvrit et je vis que sa main gauche était enveloppée dans un chiffon. Père lui demanda comment elle s'était blessée.

– Je me suis foulé le poignet, dit-elle de sa voix sifflante. Je suis tombée sur la chaussée, à New York.

Je remarquai alors qu'il y avait une tache de sang sur le chiffon.

Je ne croyais pas à la sorcellerie ni aux sorcières depuis que j'avais dix ans, mais cela me secoua quand même.

5

Le lendemain était un dimanche. En général, nous nous rendions à l'église à pied mais, comme il avait beaucoup plu dans la nuit et que la route était boueuse, nous attelâmes nos deux chevaux à la carriole et partîmes. J'avais mis mes vieilles chaussures et emporté les neuves pour les mettre au dernier moment.

L'église se trouvait à un peu moins d'une lieue, après Mott's Corner, au milieu de chênes-lièges. Lorsque nous arrivâmes, toutes les places sous les arbres étaient prises.

– Ils sont venus nombreux, dit mon père. Ils veulent entendre la parole de Dieu, mais au lieu de cela, c'est celle de Caleb Cleghorn qu'ils entendront, hâtivement pensée devant son gruau du matin.

Mon père n'avait pas grande opinion du prêcheur Cleghorn. Avant que la guerre ne commençât dans le Nord, celui-ci prônait la loyauté au roi George. Mais à présent que les Anglais avaient été boutés hors de Boston et que nombre de gens s'étaient déclarés contre le roi, il parlait différemment. Si mon père n'avait pas été un homme de religion, il serait resté à la maison le dimanche à lire la bible familiale plutôt que d'aller écouter Caleb Cleghorn.

Pendant que j'enfilais mes bonnes chaussures, Père attacha les chevaux à un arbre et donna une musette à chacun pour qu'ils puissent manger. Quelques hommes attendaient sur les marches de l'église. Parmi eux se trouvait Ben Birdsall, qui surveillait tous les gens qui entraient et soulevait son chapeau devant les dames. Il avait un visage rougeaud et des petits yeux de porc. Le colonel Birdsall était le chef de la bande de patriotes qui, la nuit, brûlaient les granges et menaçaient les gens comme les Parsons, et les volaient en plus s'ils en avaient l'occasion.

La première personne que je vis à l'intérieur de l'église fut la vieille Mme Ryder. Elle remercia encore une fois Père d'avoir réparé son horloge; sa main était toujours bandée. La personne suivante fut M. Purdy, le visage rose et souriant; il se tenait juste derrière elle. Je lui confiai que j'avais entendu dire qu'il avait tiré sur un chat aussi gros qu'un lynx. À peine les mots avaient-ils franchi ma bouche que Mme Ryder toussa deux fois avant de disparaître sans un bruit.

Il y avait des sièges libres devant, mais Père choisit de rester debout dans le fond.

– Si Caleb commence à divaguer, dit-il, nous pourrons nous éclipser sans attirer l'attention.

Caleb Cleghorn ne divagua pas. Il parla, d'une voix calme, de ce qui se passait dans leur paisible communauté, du mauvais traitement infligé aux Parsons, des propriétés brûlées et des animaux volés.

– Ce n'est pas une révolution, dit-il. C'est une guerre civile. Une guerre entre des gens qui, autrefois, étaient amis. Essayons de nous montrer tolérants envers ceux qui pensent différemment de nous. Car nous partageons la même parole et servons le même Dieu miséricordieux.

Je regardai autour de moi pour voir si Ben Birdsall se trouvait à portée de voix du prêcheur, mais en vain. J'aperçus alors Jim Quarme. Il était sur le seuil et hochait sa tête osseuse, comme pour approuver tout ce qui était dit. Je sentais ses yeux sur moi de temps à autre mais, lorsque le service prit fin, il n'était plus là.

En sortant de l'église, mon père fut arrêté par maître Wentworth, qui enseignait la lecture et l'écriture à Mott's Corner, où j'allais à l'école pendant l'hiver.

– Avez-vous l'intention d'inscrire Sarah cette année? demanda-t-il à Père.
– Je suis en train de réfléchir à la question, répondit Père.
– Pourquoi, si je puis me permettre cette hardiesse, avez-vous besoin de réfléchir?
– Parce que, monsieur, vous êtes devenu un porte-parole de la rébellion. Je m'interroge sur le bien-fondé de remplir la tête de ma fille de ces bêtises.

Maître Wentworth avait un visage pâle et triste.

– Qu'en dis-tu, Sarah? Tu étais contente d'aller à l'école l'année dernière?

Je jetai un coup d'œil à Père et hésitai, ne voulant pas le contredire.

– Tu semblais contente, en tout cas, insista maître Wentworth.

Maître Wentworth était un bon maître. Si jamais on commettait une faute, par exemple « j' peux » au lieu de « puis-je » ou bien qu'on n'accordait pas le participe passé, il n'en faisait pas une affaire. Il avait parlé de la guerre plusieurs fois, mais je ne me souvenais pas qu'il ait pris parti pour l'un ou l'autre camp. J'aimais bien aussi mes camarades de classe.

Maître Wentworth n'avait plus beaucoup de cheveux et le chaud soleil faisait briller son crâne dégarni.

– Tu nous manqueras, Sarah, si tu ne viens pas, dit-il. Tu étais une excellente élève.

Père essaya de me faire taire du regard, mais je regardai droit devant moi et pris mon courage à deux mains :

– Vous m'avez beaucoup appris, maître Wentworth. Lorsque la moisson sera terminée, j'aimerais revenir. C'est-à-dire, si Père m'y autorise.

– Bien, fit maître Wentworth. Je te garderai une place.

Père demeura silencieux pendant que nous descendions les marches. C'était sa façon de montrer qu'il n'était pas satisfait de ma conduite. Presque chaque jour maintenant, nous nous disputions à cause de la guerre.

Nous étions arrivés près de l'arbre où nous avions laissé la carriole et les chevaux. L'attelage était vide. Les chevaux avaient disparu.

Père lâcha un juron à vous faire dresser les cheveux sur la tête, lui qui ne jurait jamais. Non loin de nous, Lem Stewart, notre voisin, se mit à crier :

– Au voleur ! Au voleur ! à pleins poumons.

Ses chevaux avaient eux aussi disparu. De toutes parts s'élevèrent d'autres cris.

Lorsque le tumulte cessa, on découvrit

que six familles avaient été ainsi volées. Et sur les six, toutes sauf une comptaient parmi les loyaux partisans du roi. Tout le monde pensait que c'était l'ouvrage de Ben Birdsall mais personne n'en était certain.

6

Pendant deux longues semaines, on n'entendit pas parler des chevaux volés. Puis, M. Kinkade alla vendre des pommes précoces au marché de Newtown. Et là-bas il apprit qu'un homme avait été vu la veille avec douze chevaux et qu'il était parti vers l'est. Ce fut tout.

Père n'avait pas d'argent pour racheter deux chevaux, mais il vendit quelques outils et réussit à se procurer une jument. Ce n'était pas un bel animal. Elle souffrait d'éparvin* et avait au moins le même âge que moi. Cependant, elle pouvait quand même tirer la carriole quand celle-ci n'était pas trop chargée. Comme personne ne savait son nom, je décidai de l'appeler Samantha, parce que j'aimais ce nom.

* Tumeur osseuse du jarret.

Nous commençâmes la récolte du maïs trois jours après le vol des chevaux. C'était une belle récolte, quatre épis par tige, bien lourds et de la couleur du beurre frais. J'emportai trois demi-charretées au moulin pour les faire moudre. Je payai ce que nous devions à M. Purdy et il m'en resta suffisamment pour l'hiver.

Par-dessus une rangée de tonneaux, j'entr'aperçus la tête osseuse de Quarme et ses petits yeux méchants qui me regardaient. M. Purdy me parla du chat sur lequel il avait tiré et qui avait laissé une traînée sanglante derrière lui. Après cela, le moulin ne s'était plus jamais arrêté à minuit. Je ne lui dis rien au sujet de la vieille Mme Ryder et de sa main.

La semaine suivante, nous récoltâmes quelques roxbury russets précoces, qui se vendaient toujours bien. Ce ne sont pas de jolies pommes, leur peau étant plutôt brunâtre. Mais sous le brun, elles sont d'un vert doré et leur chair est croquante et douce. Nous attendions aussi une bonne récolte de golden russets. C'est une variété plus petite que les roxbury, et leur goût est plus prononcé.

Je fis dix gallons* de cidre, trente-trois

* 1 gallon américain vaut 3,78 litres.

jarres de compote et gardai trois petits tonneaux de fruits pour l'hiver. J'en vendis à Mott's Corner, en faisant du porte-à-porte, parce qu'on gagnait plus d'argent de cette façon qu'en les vendant aux épiceries.

Lorsque je ne fus plus fatiguée le soir après souper, Père reprit l'habitude de nous lire des passages de la Bible. Mon éducation religieuse avait commencé dès que j'avais eu l'âge d'écouter. Cette lecture était donc plutôt destinée à entretenir mon esprit, à présent que je n'allais plus du tout à l'école. J'en avais abandonné l'idée parce que Père y était fermement opposé.

Père était un grand admirateur de William Tyndale*. Il n'était jamais las d'en parler. Chaque jour, il me racontait une nouvelle anecdote à son sujet.

– Imagine, me dit-il un soir, imagine un jeune homme, frais émoulu de l'université, qui se met en tête de traduire la Bible du grec (langue dans laquelle elle a été d'abord écrite) en anglais. Mais il ne le peut pas parce que cela s'inscrit contre les vœux de Henri VIII. (C'est ce roi qui a eu de

* Réformateur gallois, ses écrits luthériens contribuèrent au progrès de la Réforme en Angleterre. Il fut supplicié en 1536.

nombreuses femmes et a coupé la tête de deux d'entre elles.) Comme sa vie était en danger, Tyndale dut quitter l'Angleterre et se réfugier en Allemagne. C'est là qu'il traduisit la Bible, la fit imprimer et l'introduisit clandestinement en Angleterre, alors que les espions du roi étaient à ses trousses.

Mon père se pencha sur la table et croisa les mains. Ses yeux brillaient à la lumière de la bougie. Je l'imaginais très bien vivant à une autre époque, armé du même courage que William Tyndale.

– Après cela, comme les espions du roi le cherchaient, il dut vivre caché dans les celliers, les soupentes et les greniers. Mais il continuait à écrire les louanges du Christ. Finalement, il fut capturé, étranglé et brûlé sur le bûcher. Aujourd'hui, Sarah, la plupart des mots que je te lis sont de Tyndale. Écoute Matthieu :

– *Vous avez appris ce qu'il a été dit. Œil pour œil et dent pour dent. Et moi je vous dis, si quelqu'un te gifle sur la joue droite, tends-lui aussi l'autre.*

Et ceci : *Vous avez appris ce qu'il a été dit. Tu aimeras ton prochain et tu haïras ton ennemi. Et moi je vous dis, aimez vos ennemis et priez pour ceux qui vous persécutent.*

Père referma la bible et croisa les mains sur la table.

– Il est bon, dans ces temps troublés, d'écouter la musique de ces paroles, de la laisser résonner dans son cœur. Mais leur sens, c'est encore autre chose. Il est terriblement difficile pour moi de m'en souvenir lorsque je pense à Quarme ou à Purdy ou à Ben Birdsall. Serait-il possible que je ne sois pas un bon chrétien?

– Non, tu es un bon chrétien, dis-je.

– Et toi, Sarah? Peux-tu puiser assez de courage dans ton cœur pour pardonner à Birdsall et sa bande?

– Je trouve cela difficile aussi.

Père rouvrit la bible et se mit à lire les Rois, lorsque, au loin, dans la direction du moulin de Purdy, retentit le bruit de sabots frappant la pierre. Père rangea la bible. Il alla à la porte, écouta, revint et souffla la bougie. Le bruit se rapprocha. Par la fenêtre, j'aperçus une file de cavaliers dont la silhouette se découpait sur le ciel. Ils trottaient sur la route sinueuse qui menait à notre maison. J'entendis les chevaux traverser le ruisseau.

Père alla prendre son vieux fusil, celui que Chad lui avait demandé. Il entrouvrit la porte, tendit l'oreille puis referma le battant et le bloqua avec la barre.

Je me tenais devant la fenêtre. Il y avait dix cavaliers. Ils s'arrêtèrent près de la grange et attendirent là tandis que l'un d'entre eux descendait de cheval et se dirigeait vers la maison. Il portait une torche. À la lueur de la flamme, je reconnus Ben Birdsall, la tête bien droite sur son cou gras et court.

– Ouvrez! dit-il en frappant deux fois.

– Que voulez-vous? demanda Père.

– Je veux vous parler, et je ne peux pas le faire à travers cette porte.

La pièce était sombre à l'exception d'un mince filet de lumière que la torche de Birdsall projetait par une fente de la porte. Père mit son fusil sur l'épaule, fit glisser la barre et ouvrit la porte. Je me plaçai derrière lui.

Birdsall leva la torche pour mieux voir. Il n'était pas armé, mais il avait un nez si retroussé qu'on voyait l'intérieur de ses narines : elles ressemblaient à deux canons de pistolet.

– Allume la bougie, Sarah, dit Père.

– Nous n'avons pas besoin de lumière, rétorqua Birdsall.

Il leva la torche encore plus haut et l'agita.

– J'ai entendu dire que vous aviez un portrait du roi George accroché à votre mur.

– Il y était. Il n'y est plus.
– C'est bon à entendre, dit Birdsall.

Les vaches s'agitaient dans la grange et l'une d'elles meugla.

– Vous connaissez David Whitlock, n'est-ce pas ? reprit Birdsall.

Père hocha la tête.

– C'est un ami de mon fils. Pourquoi ?
– Le jeune Whitlock a rapporté à son père qui me l'a lui-même rapporté que vous aviez saisi un livre appartenant audit père – un livre de Thomas Paine, intitulé *Le Sens commun* – que vous aviez délibérément déchiré ce livre et éparpillé les morceaux dans un geste de colère. Pourquoi, puis-je le savoir ?

On aurait dit qu'il récitait ces paroles comme David l'avait fait.

– Ce n'était pas un livre, rétorqua Père d'une voix calme. Ce n'était qu'un pamphlet et je l'ai détruit...
– Livre ou pamphlet, peu importe, l'interrompit Birdsall. Quelle est la raison de ce geste arbitraire ?
– Vous me le demandez honnêtement ?
– Oui.
– Eh bien, colonel Birdsall, voici ma réponse. Ce pamphlet est un tissu de mensonges.

Je fus choquée par les paroles brutales de

mon père, car il ne gagnait rien à les prononcer.

Je déclarai :

– Mon frère Chad a rejoint la milice. C'est un patriote. (Père était bien trop fier et rigide pour le dire.) Chad se bat quelque part en ce moment.

Birdsall ne répondit rien. Il fit comme si l'engagement de Chad dans la milice patriote n'avait, pour lui, aucun intérêt. Sa torche se mit à fumer et il l'éloigna de lui. Mais elle éclairait encore son nez retroussé et j'avais toujours l'impression de deux canons de pistolets pointés droit sur nous.

J'eus l'impression que les cavaliers avaient reçu comme un signal de Birdsall. Ils commencèrent à tourner en cercle. L'un d'eux alluma une torche. Il la tint bien haut pendant qu'elle crachotait puis s'enflammait. Alors, il la lança sur une meule de foin, à côté de la grange. Les flammes s'élevèrent jusqu'au toit et léchèrent la poutre maîtresse.

J'étais incapable de bouger ou de penser. Je restai là fascinée par l'incendie tout en hurlant à l'adresse de Birdsall. Je ne sais toujours pas ce que je lui criai. Puis, je partis en courant délivrer les vaches. Je n'avais pas fait plus d'une douzaine de pas lorsque la vieille jument sortit en titubant de la grange. Elle avait la gorge tranchée et s'effondra à mes pieds.

Quelqu'un m'attrapa par-derrière. On me ligota et on m'éloigna de la grange et de la maison qui brûlait à son tour. Les cavaliers m'attachèrent au tronc d'un arbre et s'en allèrent. L'un d'entre eux était Quarme.

La maison, la grange, l'étable et la porcherie n'étaient plus, à présent, qu'une masse de flammes et d'étincelles. Des bruits étranges me parvenaient, des cris d'hommes et des rires aussi. Lorsque la lune apparut, je réussis à me libérer de mes liens.

J'entendis un chariot s'éloigner, des cavaliers galoper sur la colline. Je m'avançai vers notre maison d'où se dégageait à présent une épaisse fumée. J'appelai de toutes les forces de mes poumons.

Émergeant des ombres dansantes et des arbres, une silhouette s'avança vers moi à travers le pré. On aurait dit un de ces épouvantails qu'on plante dans les champs. Mais ce n'était pas un épouvantail. C'était mon père qui avançait, les bras tendus vers moi. Il était couvert de goudron et de plumes – de celles que j'utilisais pour remplir nos oreillers.

7

Quelques personnes accoururent, attirées par le feu qui détruisait notre maison et les dépendances. La plupart se contentèrent de regarder, tellement ils redoutaient Birdsall et sa bande. Seule, Mme Jessop nous vint en aide.

C'était une veuve qui habitait plus bas sur la route, à quelques lieues de là. Elle arriva à la fin de l'incendie avec ses deux grands gaillards de fils, et ils placèrent mon père dans leur charrette. Mme Jessop avait la réputation d'être neutre, de ne pas se soucier de la victoire de l'un ou l'autre camp. Aussi voulut-elle bien nous accueillir. C'était aussi une chrétienne.

Seule une faible lueur dans le ciel marquait à présent l'emplacement de notre maison, tandis que nous nous éloignions. Le vent s'était levé. Il était chargé de fumées âcres. Les garçons portèrent Père à l'intérieur de la maison et l'allongèrent sur le sol devant la cheminée.

Ses cheveux pendaient comme des ficelles sales. Son nez et ses oreilles étaient bouchés par des boules de goudron. La bande de Birdsall l'avait déshabillé et lui avait renversé du goudron sur tout le corps. Ils en avaient même mis entre ses orteils. Puis ils avaient collé une épaisse couche de plumes, si épaisse qu'il avait l'air d'un oiseau monstrueux, sorti tout droit du poulailler du diable.

Mme Jessop envoya les garçons chercher dans le cellier un tonneau de lard, et nous en frottâmes le goudron. Il fallut tout le tonneau, plus un autre demi-tonneau et trois grands draps et toutes nos forces réunies avant que le corps de Père ne commence à apparaître. Pendant tout ce temps-là, il resta silencieux.

À l'aube, le ciel s'assombrit de nuages; notre père ne respirait plus que par à-coups. L'un des garçons était parti quérir M. Laurence, l'apothicaire, mais Père mourut avant qu'il ne soit là.

On l'enterra deux jours plus tard dans le cimetière de Mott's Corner, et je demeurai une semaine chez les Jessop.

Puis je revins à la ferme. Curieusement, la petite cabane où Père rangeait ses outils n'avait pas brûlé. Mais tout le reste – la maison, la grange, l'étable, la porcherie – était en cendres. La vieille jument, les cochons, les deux vaches et les poules n'étaient plus que des tas gris informes.

Je ne m'attardai pas. Je n'essayai pas non plus de découvrir l'argenterie que Père avait cachée. Je n'en avais ni la force ni le courage. En outre, où qu'elle fût, elle devait avoir fondue.

Je passai encore une semaine chez l'aimable Mme Jessop. Après quoi, je décidai d'aller me faire embaucher à la taverne Le Lion et l'Agneau, où Chad travaillait avant de s'engager dans la milice. Elle se trouvait à quelques lieues à l'ouest de la maison des Jessop, près de l'East River. Les garçons sortirent la charrette pour m'accompagner et Mme Jessop me donna quelques provisions de bouche. Elle me donna aussi une bible.

– J'ai trois exemplaires du Livre saint, me dit-elle. Un pour moi et deux pour les garçons. Prends le mien. Tu en auras besoin maintenant que tu es seule au monde.

En me tendant la bible, elle ajouta :

– J'ai toujours trouvé un réconfort par ces temps troublés dans le verset 5 du psaume XXVII : *Car Il me dissimule dans son abri au jour du malheur. Il me cache au secret de sa tente. Il m'élève sur un rocher.*

Je la remerciai pour la bible et les provisions et montai dans la charrette à côté des garçons. La journée était chaude et le ciel sillonné de nuages pluvieux. Nous remontâmes lentement la route en direction du Lion et l'Agneau. Les seuls vêtements que je possédais étaient sur mon dos.

8

La taverne appartenait à M. et Mme Pennywell. Elle se dressait sur une colline surplombant l'estuaire qui s'ouvrait sur l'East River. C'était une grande bâtisse blanche avec des poutres vertes, dont l'étage était troué de six lucarnes. Une enseigne en bois doré surmontait la porte. On y voyait un lion et un agneau allongés l'un à côté de l'autre sous un grand chêne.

Avec ses cheveux longs et ses petits yeux rapprochés, M. Pennywell avait un air méchant. Mais, comme les événements le prouvèrent, ce n'était qu'une apparence. Lorsque je lui dis que j'étais la sœur de Chad Bishop, il m'envoya aussitôt à la cuisine, déclarant qu'il avait bien besoin d'aide, que Chad était un bon garçon, qu'il était désolé de la mort de mon père et de la destruction de notre ferme.

– Toutes les filles qui ont défilé ici le mois dernier, depuis que la milice est cantonnée au fort de Brooklyn, ne pensent qu'à une seule chose : les soldats. Et pourtant, ils ont l'air miteux. Même pas d'uniforme. Et la plupart n'ont pas d'armes non plus. De simples garçons de ferme, voilà tout.

Mme Pennywell me prépara un bon petit déjeuner : des œufs au jambon et des galettes de maïs. Elle avait un joli visage; en tout cas, il avait dû être joli avant qu'elle ne grossisse et que son nez ne se perde dans des replis de chair roses et blancs.

– Mange, me pressait-elle, lorsque je ralentissais le rythme. Tu es pâlotte. Pas que ce soit de ta faute. Est-ce que tu sais cuire le pain? Les garçons de la milice débarquent ici à moitié morts de faim et du pain frais leur convient fort bien. Tu dois savoir cuisiner, puisque tu t'occupais de ta famille. Depuis deux ans maintenant, non?

– Je sais faire le pain, lui dis-je.

– De quoi as-tu besoin?

– De maïs, de farine blanche et de farine de seigle.

– Tu auras ce que tu veux. Tout est frais du moulin.

Elle sortit précipitamment et revint avec trois sacs. Je n'avais pas de recette précise, si ce n'est mélanger à part égale la farine de seigle, de blé et de maïs. On peut utiliser de l'eau mais si on a du lait, c'est mieux. On ajoute pas mal de sel et une mesure de levure à la demi-pinte d'eau ou de lait. Comme pour tous les pains, il ne faut pas que la pâte soit trop épaisse, sinon on ne peut la plier. Je fis deux douzaines de grosses miches, ce que pouvaient contenir les deux fours. Elles étaient bien dorées et bien cuites.

Les garçons de la milice dévorèrent les deux douzaines de miches. Ils arrivèrent tous ensemble en fin d'après-midi. Ils devaient être une trentaine. Je cherchai Chad, posai des questions mais aucun des soldats ne le connaissait. L'un des garçons, natif d'un village près de Hempstead, dit qu'il allait se renseigner au fort. Je voulais travailler parce que j'avais besoin d'argent, mais la véritable raison pour laquelle j'étais ici, à la taverne, c'était afin d'essayer de retrouver mon frère. Je n'avais pas d'autre idée en tête.

Nous étions devant la fenêtre de la cuisine, une grande fenêtre composée d'une douzaine de petits carreaux dont l'un, cassé, était remplacé par du papier.

– Un oiseau a voulu entrer. Pauvre créature. Il a cru qu'il n'y avait rien que de l'air, dit Mme Pennywell. Le monde est rempli de surprises, ma chère. Les choses semblent être ce qu'elles ne sont pas. Nous avons commandé une vitre mais, vu les événements, impossible de dire quand on nous la livrera.

J'entendis les officiers de la milice avant de les voir, à la nuit tombante. Les sabots de leurs chevaux faisaient jaillir des étincelles sur la pierre. Ils poussaient des cris tout en galopant vers l'auberge. Ces bruits me rappelaient ceux de la nuit où Birdsall et sa bande avaient détruit notre ferme. Je pâlis soudain, remplie de crainte.

– Ne fais pas attention à tout ce boucan, dit M. Pennywell. Ils essayent simplement de se remonter le moral.

Il me montra du doigt une large étendue d'eau au pied de la colline, que je n'avais pas encore remarquée. On apercevait une multitude de mâts.

– L'amiral Richard Howe a accosté, tôt ce matin. Il doit bien y avoir une centaine de navires ancrés à Staten. Et deux fois plus de barques, qui font la navette entre les navires et la terre. On débarque des soldats. Des soldats anglais. Tu vois ces tentes sur l'île? Si tu regardes bien, tu apercevras une centaine de drapeau flotter. C'est pour cette raison que les rebelles crient et agitent leurs chapeaux. Ils ont peur mais ils ne veulent pas qu'on le sache.

Je fis une nouvelle fournée de pain et portai les plateaux dans la salle. Avant que je n'y entre, M. Pennywell me prévint de garder mes opinions pour moi.

– Aujourd'hui, dit-il, nous sommes aux mains des rebelles qui sont installés là, à Brooklyn Heights. Demain, ce peut être différent. Le fort sera aux mains des soldats anglais. En outre, il y a toujours des espions qui rôdent, l'oreille aux aguets. Souviens-toi, ici, au Lion et l'Agneau, nous sommes neutres.

Je servis à manger en gardant la bouche bien close. Mais j'écoutais ce qui se disait, espérant que le nom de mon frère serait mentionné. J'espérais en vain. Je me promis de demander aux officiers, comme je l'avais fait avec les soldats, s'ils avaient entendu parler de Chad Bishop et où je pourrais le trouver.

9

Ma chambre était tout en haut, sous les combles. Elle avait une petite lucarne qui donnait sur la baie de New York. Lorsque je montai me coucher, je distinguai les lumières des navires anglais. Il y en avait des centaines qui brillaient dans la nuit noire.

J'allumai une chandelle et lut quelques psaumes. Je m'agenouillai pour prier Dieu qu'il n'y ait pas de bataille. Ou, s'il y en avait une, que Chad n'y soit pas engagé. Ou, s'il en était, qu'il ne soit pas blessé.

Le bruit des tambours et des soldats en marche me réveilla à l'aube. Lorsque je descendis à la cuisine, M. Pennywell me dit de ne pas m'alarmer.

– Il y aura beaucoup de tambours et de défilés. Mais la bataille n'aura pas lieu avant une semaine ou même deux. Et peut-être qu'il n'y en aura pas. J'ai entendu dire que Benjamin Franklin allait venir de Philadelphie pour s'entretenir avec sir William Howe, le général anglais. De la paix. Espérons qu'ils parviendront à un accord.

– Espérons-le, dis-je.

Les discussions allèrent bon train ce soir-là, parmi les officiers et les soldats du fort de Brooklyn, sur les chances de paix. La plupart n'en voulait pas. Ce qu'ils voulaient, c'était se battre, couler tous les navires anglais dans la baie et tuer tous les soldats anglais qui oseraient poser le pied sur le sol américain. Ils ne semblaient jamais penser qu'ils pouvaient être tués aussi. Cela me parut curieux.

M. Pennywell m'expliqua :

– Les jeunes gens ne pensent jamais à la mort. C'est pour cette raison qu'ils font de bons soldats.

Ils furent moins nombreux le jour suivant et chaque jour, leur nombre s'amenuisa. Je continuai de me renseigner sur Chad, auprès de ceux auxquels je m'étais déjà adressée et auprès des autres. Et puis, un soir, à la fin de la semaine, alors que je servais à quatre soldats un bol de punch de la Jamaïque, l'un d'eux me dit qu'il connaissait Chad et promit de lui porter un mot. J'écrivis donc un message disant que Père était mort et que je l'attendais au Lion et l'Agneau.

– Je verrai Chad Bishop ce soir, promit le soldat.

Le lendemain matin, je me réveillai encore au bruit des tambours et des martèlements de pieds. Chad ne vint pas, ni ce jour-là ni le jour suivant. Pendant plus d'une semaine, les bruits de la bataille qui se préparait commencèrent ma journée. Tous les matins je priais pour Chad, et tous les soirs quand je me couchais.

Un jour, très tôt, M. Pennywell entra en courant dans la cuisine pendant que je faisais le pain. Il était si excité que j'avais du mal à le comprendre.

– Mon ami John Butler est passé. Il m'a dit que l'armée anglaise se met à bouger. Les tentes sont toujours dressées sur Staten Island mais des dizaines d'hommes sont partis cette nuit. Une bataille se prépare. Une grande bataille.

Je laissai la pâte que j'étais en train de pétrir.

– Où cela ? Au fort de Brooklyn ?

– Sans doute. Et sur toute la pointe de Long Island.

Les Anglais attaquèrent le lendemain matin. Un bruit de tonnerre fit vibrer les fenêtres de la taverne et secoua les tasses.

Le rugissement du canon se poursuivit presque toute la journée. Et les détonations plus lointaines des fusils. Un fermier vint vendre ses choux et ses pommes de terre, pressé de se débarrasser de ses produits avant que les soldats anglais ne s'emparent de sa ferme. Aucun soldat de la milice n'apparut à la taverne, que ce soit du fort de Brooklyn ou d'ailleurs.

Cependant, quelques jours plus tard, les Anglais se montrèrent. Une demi-douzaine d'officiers d'abord, puis d'autres, tant et si bien que la taverne était pleine du matin au soir. Mais pas de soldats, parce que, selon les règles de l'armée anglaise, ils n'avaient pas le droit de se mêler aux officiers.

M. Pennywell engagea deux filles de ferme pour aider à la cuisine et me mit au bar où je rendais la monnaie. Mme Pennywell me donna une paire de souliers avec des boucles en argent et une robe rose ornée de dentelles de même couleur.

– On dirait un tableau, dit-elle.

– Je connais de vilains tableaux, répondis-je.

– Un joli tableau, répliqua-t-elle.

C'était la première fois, dans mes quinze années de vie, qu'on me disait que j'étais jolie.

Les officiers anglais avaient de bonnes manières. Ils disaient « s'il vous plaît » et « merci, Miss » et « puis-je vous demander? ». Mais les Hessiens étaient différents. C'était des hommes de haute taille, à l'air féroce, qui ainsi que je le découvris, noircissaient au cirage leur moustache et leurs cheveux blonds. Ils se vantaient de ne jamais faire de prisonniers, parce qu'ils leur passaient leur baïonnette au travers du corps. J'avais horreur de les servir et ne le fis plus au bout d'un jour.

Les officiers anglais souriaient chaque fois que je leur demandais s'ils connaissaient mon frère, Chad Bishop. Mais je m'obstinai et, finalement, l'un d'eux, le major Stirling, me vint en aide. Voici comment.

La plupart des officiers portant perruque, M. Pennywell, pour accroître ses profits, transforma un de ses placards en salon de coiffure, comme il l'avait vu faire à New York.

Il découpa un rond dans la porte, suffisamment large pour qu'on puisse y passer la tête, et plaça une table dans le placard ainsi qu'un chandelier à trois branches. À cinq heures, tous les soirs, je m'installais dans le placard, armé d'un peigne et d'une brosse. L'officier qui voulait faire peigner sa perruque passait sa tête dans le trou. Je recouvrais son visage d'un cône en lin, puis je peignais sa perruque et la saupoudrais d'une poudre odorante. J'arrivais à faire quatre perruques en une heure.

Pendant que je poudrais la perruque du major Stirling il m'annonça qu'il voulait bien m'aider à trouver mon frère.

– Je vais te donner une lettre pour le capitaine Cunningham, dit-il. C'est lui qui s'occupe des prisonniers rebelles. Mais il y en a des milliers. Il faudra t'armer de patience.

Depuis le premier jour de la bataille, mon espoir était que Chad avait été fait prisonnier. Nous savions à la taverne que le fort de Brooklyn était tombé, mais que la plupart de ses défenseurs et d'autres soldats de la région de Gowanus Bay avaient profité de l'obscurité d'une nuit pluvieuse pour s'échapper dans des centaines d'embarcations et se réfugier à New York. Nous savions aussi que les Anglais les avaient poursuivis, avaient pris la ville et fait de nombreux prisonniers.

Le major Stirling tint parole. Je le remerciai de son aide et glissai le message dans une enveloppe que je cachai soigneusement dans mon corsage. Ce soir-là, je sortis l'argent que j'avais dissimulé sous mon lit – tous les pourboires gagnés au bar – et le comptai. J'avais en pièces d'or et d'argent anglaises l'équivalent d'une livre et trois shillings.

Je contemplai la baie qui scintillait de lumières anglaises. La nuit était claire et sans vent. On sentait la mer mais en même temps aussi la terrible odeur des soldats morts. Le général Howe n'avait pas pris la peine de faire enterrer les patriotes qu'il avait tués. Chad était-il parmi eux?

Je sortis la bible de Mme Jessop et lus jusqu'à l'aube. Puis je priai à genoux.

10

Tôt le lendemain matin, je préparai mon départ pour New York. M. Pennywell ne voulait pas que je m'en aille parce qu'il avait besoin de moi.

– Je vais perdre une belle somme si tu me laisses comme ça, en plein travail, dit-il.

Mme Pennywell renchérit :

– Ce n'est vraiment pas une époque pour qu'une jeune fille se promène toute seule. Les choses se sont un peu calmées, mais qui sait si ça ne va pas recommencer bientôt.

– J'ai une lettre du major Stirling. Elle me protégera, répliquai-je.

Lorsqu'ils virent la lettre et aussi combien j'étais déterminée, ils me permirent de partir, tout en grognant. Mme Pennywell me prépara des provisions en quantité suffisante pour faire un bon repas. M. Pennywell attela la charrette, m'emmena jusqu'au bac et me donna un mot de recommandation pour son frère, qui tenait la taverne du Lion Rouge.

C'était une matinée claire et fraîche. Des bateaux sillonnaient la baie en tous sens. Les tambours résonnaient toujours au loin mais sur un mode plutôt engageant, comme s'ils célébraient de bonnes nouvelles. Je suivis à la lettre les instructions du passeur pour gagner la taverne de M. Pennywell. Les érables du petit parc que je traversais en débarquant commençaient à rougir. Je me demandais si, pour nos arbres, il en était de même.

Une fille aux yeux ensommeillés lavait les marches du Lion Rouge. Je lui montrai le mot dont j'étais porteuse et, sur ce, elle cria par la porte ouverte, d'une voix aiguë :

– Y a quelqu'un qui veut voir M. Pennywell !

Au bout d'un long moment, un homme portant une perruque blanche vint à la porte. Je lui remis le mot et expliquai que je cherchais mon frère, Chad Bishop.

– C'est un rebelle, dis-je. Il a peut-être été fait prisonnier par les Anglais, lors de la bataille de Brooklyn. Il est peut-être ici, dans cette ville. J'espère que vous pourrez m'aider à le retrouver.

M. Pennywell pinça les lèvres. J'eus le sentiment qu'il n'avait aucune envie que les

Anglais sachent qu'il était en relation de quelconque façon avec les rebelles, surtout un rebelle prisonnier. Ni avec moi.

– Je ne sais pas où peut être ton frère, dit-il. Mais, en bas de cette rue, il y a une vieille usine où les Anglais gardent des prisonniers. (Il prit la fille par le bras :) Conduis Sarah Bishop et reviens vite. Et surtout, ne parle à personne en chemin.

C'était tout près : un bâtiment de briques rouges à deux étages, dans une rue qui débouchait sur les quais et la North River. De petites fenêtres trouaient la façade et à chacune d'elles, j'aperçus des visages pressés les uns contre les autres. Pas un bruit ne s'élevait. On aurait pu penser l'endroit vide.

Quatre soldats en habits rouges et guêtres blanches montaient la garde devant le bâtiment, le fusil à l'épaule.

– Voilà l'endroit, déclara la fille qui disparut aussitôt. Je l'entendis courir.

Au-dessus de la porte, on pouvait lire une pancarte : LAMBERT & FILS – MARCHANDS DE SUCRE. Deux soldats se tenaient de chaque côté de la porte cochère. À leur uniforme, leurs moustaches cirées et leurs longs cheveux noirs, je vis que c'était des Hesseins. L'un d'entre eux m'ouvrit la porte sans un sourire.

J'entrai dans une petite pièce où un jeune officier aux grosses lèvres était assis à une table en têtant sa pipe. J'attendis un moment, les mains croisées, qu'il me demande qui j'étais et pourquoi j'étais ici.

Je lui dis mon nom.

– Je crois que mon frère, Chad Bishop, est prisonnier.

Et je lui tendis la lettre que le major Stirling m'avait donnée.

– Le capitaine Cunningham, le prévôt, demeure à l'autre bout de la ville, me dit-il. Mais il est possible que votre frère soit ici. Comment s'appelle-t-il, déjà? J'ai oublié.

– Chad.

– Chad quoi?

– Chad Bishop.

Il fit courir son doigt sur une longue liste de noms posée sur son bureau.

– Bishop, Bishop. Il y a Barten, Barnes, Bellows, Bent mais pas de Bishop.

Mon cœur chavira.

L'officier prit une autre liste, qu'il lut lentement à voix basse. Il leva les yeux.

– Bishop. Chad Bishop, dit-il. J'avais tort. Il est bien ici. L'un des premiers prisonniers qu'on nous a amenés après la bataille de Brooklyn Heights.

J'eus envie de crier mais ne réussis à émettre qu'un petit bruit faible. J'avais l'impression que j'allais m'évanouir et c'est bien ce qui faillit se passer.

Finalement, je retrouvai ma voix.

– Il est prisonnier ? Vraiment ?

L'officier me lança un regard peiné.

– Je viens de vous le dire.

– Il faut que je lui parle.

– Pour cela, il faut avoir l'autorisation du capitaine Cunningham. S'il le juge opportun, il permettra une rencontre. Vous avez une lettre pour le capitaine. Et je vais vous en écrire une autre qui vous aidera aussi. Je vais faire mon possible pour que vous puissiez voir le capitaine Cunningham dès demain. Je lui envoie un message à l'instant.

L'officier tira sur sa pipe et souffla une bouffée de fumée.

– Entre-temps, si, par hasard, vous aviez l'intention d'apporter quelque chose à votre frère, je veillerai à ce qu'il le reçoive. De l'argent pour acheter à manger. Ou une couverture chaude. L'hiver s'annonce rude.

Je sortis l'argent que j'avais rangé dans ma bourse. J'eus envie de lui donner le tout, mais je m'en abstins. Je lui remis seulement la moitié de l'argent.

– Chad est très jeune. Il a bon appétit, dis-je. Peut-être vaut-il mieux qu'il s'achète de quoi manger.

L'officier ouvrit un tiroir où il rangea l'argent.

– Ceci lui permettra d'acheter quelques rations supplémentaires pendant un mois, dit-il.

Il m'indiqua comment arriver jusqu'au prévôt.

– Soyez-y de bon matin. Il vous faudra peut-être attendre toute la journée pour voir le capitaine.

La vieille usine était calme lorsque j'y étais entrée mais, à présent, j'entendais un bourdonnement de ruche, comme si des centaines d'hommes murmuraient.

L'officier ouvrit la porte, me salua et je sortis dans la rue. L'air me parut frais et doux après la puanteur de la prison. Les visages étaient toujours collés aux fenêtres. Quelqu'un me héla. Ce n'était pas la voix de mon frère. Mais Chad était prisonnier. Prisonnier! C'était tout ce qui m'importait.

11

Je n'avais rien mangé depuis mon souper au Lion et l'Agneau. Aussi, la première chose que je fis fut de m'arrêter et de consommer la plus grande partie des provisions de Mme Pennywell. La rue fourmillait de soldats et certains me lancèrent des remarques. Je n'y prêtai aucune attention.

Je n'aimais pas beaucoup le frère maussade de M. Pennywell. J'étais certaine que si je revenais, il en serait mal à l'aise et moi aussi. Je cherchai donc dans le quartier une chambre à un prix abordable. Je découvris ce qu'il me fallait près du chantier de Whitehall, au troisième étage d'une bâtisse qui semblait sur le point de s'écrouler à tout moment dans la rivière. La femme qui prit mon shilling et mes deux pences avait des cheveux filasse et des yeux verts.

Ce soir-là, je mangeai mes deux derniers petits pains et but une tasse de thé offerte par la femme. L'endroit portait un nom mais les lettres étaient effacées et tout ce que je pus lire, ce fut *Tal* puis un vide et la lettre *O*. Des gens s'agitaient bruyamment et je ne pus trouver le sommeil avant minuit. Je dormis peu.

J'entendis un enfant pleurer. Puis, quelqu'un descendit l'escalier branlant. La pièce n'avait pas de fenêtre; cependant, à travers une fissure dans le mur, j'aperçus du jour. Au début, je crus que la lune s'était levée. Lorsque la lumière se fit plus intense, je compris que ce n'était pas la lune. Je ne pensai pas au feu avant de sentir la fumée qui commençait à se dégager par la fissure dans le mur.

La maison était en flammes lorsque je descendis l'escalier. Comme j'atteignais le palier menant au rez-de-chaussée, je vis les flammes qui s'élevaient de partout. Il y avait une fenêtre à côté de moi. J'hésitai un instant. Puis une voix à l'extérieur me cria de sauter. J'ouvris la fenêtre et sautai.

Je restai un moment abasourdie, allongée sur le dos dans l'herbe haute. Un homme me mit debout et m'entraîna loin de la maison. Le vent soufflait des étincelles dans le ciel et, bientôt, toute la rue fut en flammes. Il y avait des cris et des hurlements et des gens qui couraient. Je courus avec eux, sans savoir où j'allais. Je débouchai dans un cimetière. Les gens étaient groupés autour des tombes. Je tenais toujours ma robe à la main. Derrière un buisson, je l'enfilai pardessus ma chemise.

Une femme, qui serrait un chien dans ses bras, cessa de sangloter pour me dire que c'était Trinity Church qui brûlait. Elle avait été baptisée dans cette église ainsi que son mari.

– C'est terrible, gémit-elle. Un si beau clocher. Il se dresse vers le ciel à cent quarante pieds. Si seulement les pompiers arrivaient. Impossible de les avertir. Ces sales rebelles ont volé les cloches.

Il me sembla curieux qu'elle s'inquiète du clocher dans un moment pareil.

Le clocher prit feu. Juste à ce moment-là, une voiture de pompiers s'arrêta à côté de l'église. Les hommes formèrent une chaîne de seaux d'eau. Le dernier versait l'eau dans un réservoir placé sur la voiture et quatre autres pompaient l'eau pour la déverser sur le feu.

La pompe se mettait en marche lorsque trois hommes, le visage noirci, sortirent de l'ombre à côté de moi. Ils portaient des couteaux, des couteaux longs et acérés qui étincelèrent à la lueur des flammes. D'un pas rapide, ils longèrent la file d'hommes et fendirent les minces seaux de cuir qu'ils rendirent ainsi inutilisables. Les seaux se déchirèrent et l'eau se déversa et coula dans le caniveau.

L'un des hommes s'esquiva dans ma direction. En passant, il laissa tomber son couteau à mes pieds avant de se perdre rapidement dans la foule. Sans réfléchir, je le ramassai, pensant qu'il pourrait m'être utile. À ce moment-là, deux soldats anglais m'attrapèrent par les bras et me poussèrent, à travers la foule, dans un fourgon rempli de femmes hurlantes. Le cocher fouetta les chevaux. Et je me retrouvai, interloquée et sans voix, assise dans la voiture qui cahotait au milieu des tourbillons de fumée et d'étincelles.

12

On nous conduisit jusqu'à un bâtiment froid et gris. Le quartier général du capitaine Cunningham. Le feu n'était pas arrivé jusque-là mais, derrière nous, tout le ciel était embrasé.

On m'emmena dans une cellule, gardée par deux soldats armés de baïonnettes. Dans un coin, gisait une mince paillasse sur laquelle je m'étendis. Mais je ne pus dormir. Au matin, on m'apporta une tasse de thé et un morceau de pain rassis, et j'avalai le tout sans me faire prier, bien que le thé fût très léger. Il ne s'écoulait pas une heure sans que je tâte le devant de ma robe pour m'assurer que je n'avais pas perdu la lettre du major Stirling ni mon argent.

Tard dans l'après-midi, on vint me chercher. On me mena le long d'un long couloir nu, puis d'un autre et encore d'un troisième. Enfin, je fus en présence du capitaine Cunningham en personne. J'avais peine à respirer tellement j'avais peur.

C'était un gros homme au visage rond et rose. Il portait une perruque blanche. De la poudre était tombée sur ses épaules. Il m'adressa un sourire froid et me demanda où j'habitais lorsque le feu s'était déclaré.

– À l'auberge, près du quai de Whitehall, dis-je.

– Le feu, comme vous le savez fort bien, s'est déclaré justement à cet endroit.

– Je ne sais pas, monsieur. Je me suis réveillée en entendant des cris. Des flammes léchaient les fenêtres. J'ai vu des gens qui couraient.

Le capitaine Cunningham prit une feuille de papier sur son bureau.

– J'ai reçu ce message du lieutenant Stone. Vous lui avez parlé hier. Vous vous appelez Sarah Bishop ?

– Oui monsieur.

– Vous vouliez avoir des nouvelles de votre frère, Chad Bishop ?

– Oui.

– Le lieutenant Stone vous a informée qu'il détenait votre frère à la prison Lambert. Le lieutenant a commis une erreur. Votre frère n'est pas dans cette prison, mais à bord du *Scorpion*, un navire ancré dans Wallabout Bay. Vous avez pensé, lorsque vous êtes sortie de votre logement, la nuit dernière, pour déchirer les seaux avec ce couteau, que le feu allait s'étendre jusqu'à la prison Lambert. Et que, dans la confusion, votre frère aurait une chance de s'échapper.

Je commençai à comprendre que le lieutenant Stone m'avait menti. Il avait accepté mon argent, sachant très bien que Chad n'était pas à la prison Lambert. J'étais contente maintenant de ne lui avoir donné que la moitié de mon pécule.

Le capitaine Cunningham prit un couteau sur son bureau. Il se leva et fit le tour de la table. Il me regarda droit dans les yeux. Les siens étaient bordés de rouge. On aurait dit deux petits oignons cuits dans du porto.

– Voici l'arme que vous avez utilisée, dit-il en me mettant le couteau sous le nez. La reconnaissez-vous ?

– Je n'ai pas déchiré les seaux, monsieur. Je n'en aurais pas eu la force. C'est l'un des hommes, un homme deux fois grand comme moi. Il a laissé tomber le couteau à mes pieds et a disparu dans la foule. Je l'ai simplement ramassé.

– Pourquoi ?

– Je ne sais pas, monsieur. J'ai pensé qu'il pourrait peut-être me servir.
– Balivernes! (Le capitaine Cunningham éternua et prit une pincée de tabac.) Votre frère est un rebelle et vous aussi. Plus j'y pense, plus je suis convaincu que c'est vous qui avez mis le feu.

Il me pinça le menton. Je reculai mais il m'attrapa par le bras.
– Vous avez mis le feu, n'est-il pas vrai? Dites la vérité ou bien je vous corrigerai.

Il portait des bagues ornées de pierres de couleurs. La dentelle sur le devant de sa chemise dégageait une odeur douceâtre. Ses mains étaient boudinées mais fortes. J'avais mal à l'endroit où il serrait mon bras.
– La vérité!

Je secouai la tête.
– Non, dis-je. Non!

Le capitaine Cunningham retourna s'asseoir à son bureau. Des plumes sortaient d'un verre rempli de petits plombs, tels les piquants d'un porc-épic. Il en saisit une, écrivit quelque chose sur une feuille qu'il tendit à un officier de service.
– Je vous renvoie à la prison Lambert, dit-il. Vous y resterez jusqu'à votre procès qui aura lieu demain. Entre-temps, je vous conseille de réfléchir sérieusement aux

conséquences de vos actes, si je découvre que vous m'avez menti. Et je vous rappelle que j'ai trois témoins, trois femmes qui déclareront vous avoir vue courir, un couteau à la main.

Les trois témoins, j'en étais certaine, devaient être trois des femmes qu'on avait emmenées dans la voiture avec moi.

– J'ai aussi un autre témoin : la propriétaire de l'auberge de Talliho. Elle est prête à jurer qu'elle vous a vue descendre l'escalier en courant juste avant que le feu ne se déclare dans la maison voisine.

Je ne répondis rien, rendue muette par la peur qui m'avait soudain envahie tout entière.

13

Je fus ramenée à la prison Lambert par une ordonnance qui portait un pistolet à sa ceinture. Il me remit au lieutenant Stone avec le mot du capitaine Cunningham.

Le lieutenant lut le mot et m'indiqua du doigt un banc en me demandant de m'asseoir. Il semblait nerveux. Sa pipe s'était éteinte et il la ralluma.

– J'ai commis une erreur, dit-il. J'ai cru que votre frère était ici. J'ai appris que ce n'était pas le cas. Vous comprendrez que c'est possible avec les centaines de nouveaux prisonniers qui vont et viennent chaque semaine.

Sa voix avait un ton amical. Je fus soudain remplie d'espoir, assise là, sur mon banc de bois. Mais l'espoir de quoi, je n'aurais su le préciser.

– Vous êtes en état d'arrestation, d'après les ordres du capitaine Cunningham, continua le lieutenant. Mais vous êtes à présent sous ma surveillance.

Il ouvrit un tiroir de son bureau et sortit l'argent que je lui avais donné pour acheter à manger à mon frère. Il me le tendit :

– Avant que j'oublie.

Je me sentis coupable d'avoir pensé qu'il avait essayé de me voler.

– Merci, dis-je, en essayant de sourire.

– C'est absolument interdit, dit le lieutenant, mais je vais outrepasser le règlement et vous envoyer à Wallabout Bay voir votre frère.

Il appela deux soldats dont l'un était un grand Hessien au visage noirci, armé d'un lourd mousqueton orné de deux pointes de baïonnette. L'autre, un Anglais qui se présenta comme étant le sergent McCall, était lui aussi armé.

Le ciel était encore saturé de nuages gris, mais le feu paraissait éteint. À la rivière, nous laissâmes la voiture et sautâmes dans une barque manœuvrée par deux hommes.

Wallabout Bay formait comme une entaille dans la côte de Brooklyn. Là étaient ancrées sept prisons flottantes. Autrefois, c'était des navires qui voguaient vers des océans lointains, me raconta le sergent McCall, fort bavard. À présent, ce n'était plus que des coques immobiles dont les mâts ressemblaient à des moignons noircis.

L'un des bateliers annonça que c'était la quatrième fois, ce jour-là, qu'il traversait la rivière.

Le sergent McCall, qui n'avait pas arrêté de parler, dit :

– Si je puis me permettre, mon ami, ce que vous appelez une rivière n'en est pas une. C'est un estuaire, une extension de la mer. Une eau sujette à la volonté capricieuse de la marée qui monte et descend, d'abord vers le nord, puis vers le sud, depuis les environs de Staten Island jusqu'aux hauteurs de Harlem et au-delà, quatre fois par jour, été comme hiver, et ce, pendant toute l'année. C'est, en tout cas, ce qui m'a été rapporté, de bonne source.

Il claquait les lèvres chaque fois qu'il prononçait une parole, comme s'il la trouvait savoureuse. Les marins avaient cessé de ramer pour l'écouter. La barque dériva un moment. J'avais envie de hurler.

Nous dépassâmes six coques avant d'atteindre le *Scorpion*. Les derniers rayons d'un soleil coléreux illuminaient le pont gris et hostile. Une brise fraîche soufflait de la mer mais, comme nous approchions, l'horrible puanteur qui se dégageait du navire me retourna l'estomac.

– Il nous faudra un peu de temps, nous cria un officier à col rouge, depuis le navire. Le bateau est surpeuplé. Nous avons deux fois plus de prisonniers que nous pouvons en loger. Le navire est sens dessus dessous. Montez à bord mais dites à la fille d'attendre, le temps que nous trouvions son frère et que nous arrangions un peu les choses.

Le sergent McCall et les deux marins grimpèrent par l'échelle. Le Hessien se leva. Il me regarda de toute sa hauteur et prononça quelques mots en allemand que, bien sûr, je ne compris pas. Puis il dit en anglais : « Jolie. » Je fis comme si je ne comprenais toujours pas.

Au bout de ce qui me parut un très long

moment, un jeune homme se pencha par-dessus le bastingage. C'était l'ami de Chad, David Whitlock, mais je ne le reconnus pas avant qu'il n'eût ouvert la bouche. Il avait les joues pâles et creuses. Sa main avait l'air d'un sac d'os desséchés. Il avait perdu ses lunettes et clignait des yeux comme si j'étais à des kilomètres de là. J'entendais à peine sa voix.

– C'est terrible, ici, sur le *Scorpion,* me cria-t-il. Ils veulent nous faire mourir. Nous dormons sans couvertures sur le plancher nu. Tout est pourri. Ils nous donnent de la farine grouillante de vermine.

– J'ai de l'argent pour acheter à manger, criai-je à mon tour.

– Ça ne servira à rien. Ils veulent nous faire mourir. On emporte chaque jour une douzaine de cadavres, qu'on jette à la mer.

David toussa. Il s'apprêtait à continuer mais dut s'interrompre. Puis, il reprit :

– Ils veulent nous faire mourir, Sarah. Chad est mort. Il est mort ce matin.

Je ne savais pas si ces paroles cruelles étaient celles que justement je redoutais. Je les entends encore maintenant, comme je les ai entendues à ce moment-là. Je n'éprouvai presque rien. Seulement que j'étais perdue, perdue et seule.

14

J'étais assise, silencieuse, à l'avant de l'embarcation. Il faisait nuit à présent. Des lumières commençaient à s'allumer sur les navires éparpillés le long de la côte. Un fermier trayait une vache dans un champ, si proche que je percevais le bruit du lait jaillissant dans le seau. La lanterne traçait une traînée lumineuse sur l'eau sombre.

Le sergent McCall déclara que Chad Bishop avait été emporté. Où? Jeté à la mer, avait dit David Whitlock.

Je hurlai de toutes les forces de mon corps. Je hurlai encore. Puis je retombai dans le silence, comme si j'étais morte. Mais je n'étais pas morte. Je sentais mon cœur battre. J'entendais les vagues lécher la coque du bateau. Je voyais la côte et la lanterne du fermier briller sur l'eau.

Le Hessien avait déposé son fusil et se tenait toujours à la poupe, chantant pour lui.

J'enlevai mes chaussures et attachai les lacets ensemble. Je remontai ma robe et mis mes chaussures dans les plis. Les marins commençaient à descendre l'échelle. Le premier s'arrêta pour crier quelque chose et l'autre rit. L'échelle de corde crissait sous leur poids. Le sergent McCall était accoudé au bastingage, David Whitlock à côté de lui.

Je me laissai glisser silencieusement le long de la coque et me dirigeai vers la lanterne du fermier. L'eau était si froide qu'elle me coupa la respiration. Je n'avais jamais nagé de ma vie et je ne sais toujours pas nager mais, poussée par la peur, je réussis à me maintenir à flot.

Je n'avais pas fait plus d'une douzaine de yards lorsque mes pieds touchèrent le fond. J'avançais sur un matelas d'herbes épaisses en gardant la lanterne en vue. Derrière moi s'élevèrent des jurons et des appels. Il y eut un silence, puis la voix du sergent McCall, très claire :

– Revenez ! Nous vous retrouverons. Vous ne pouvez pas nous échapper. Revenez, idiote !

Je sortis mes chaussures de ma robe mais ne pris pas le temps de les enfiler. Je courus le long de la côte, en m'éloignant de la lanterne du fermier. Le mousqueton du Hessien claqua et une balle siffla au-dessus de ma tête. Je ne m'arrêtai pas. Je courus jusqu'à ce que mes bas soient déchirés et mes pieds en sang. Puis je m'assis et mis mes chaussures.

Loin, vers l'est, j'aperçus un petit groupe de lumières que je pris pour un village. J'étais sur un chemin qui allait dans cette direction et je le suivis. La lune s'était levée, ce qui facilita ma progression.

J'atteignis le village environ une heure plus tard. Toutes les maisons étaient sombres à présent et je ne rencontrai personne pour me dire où j'étais. Au niveau de la dernière maison de la rue, un chien sortit des buissons et aboya. Un homme ouvrit la porte, un fusil à la main, et me demanda où j'allais à cette heure, tardive. Il s'approcha et m'examina.

– Ce n'est pas une heure à être dehors pour une jeune fille, dit-il. Où allez-vous, toute mouillée comme vous l'êtes?

– À la taverne Le Lion et l'Agneau.

– Mais c'est très loin d'ici! Mieux vaut passer la nuit au village. Entrez, nous vous trouverons bien une place.

– Je préfère continuer, dis-je. Montrez-moi simplement la direction, s'il vous plaît.

L'homme m'indiqua un chemin qui allait vers le sud-est et m'accompagna quelques centaines de yards. Au moment de nous séparer, il me souhaita bon voyage et me dit de ne pas avoir peur.

– La campagne est calme, m'assura-t-il.

Puis il m'offrit à nouveau de rester au village pour la nuit.

Je le remerciai aimablement et continuai ma route. La lune, dans mon dos, projetait une ombre légère devant moi. Au matin, comme la première lueur montait à l'est, j'atteignis Le Lion et l'Agneau.

Je contournai doucement la taverne pour ne pas réveiller le chien et me fis un lit parmi les chênes-lièges.

Il était presque midi et le soleil était chaud lorsque j'ouvris les yeux. Mme Pennywell me contemplait tout en me bombardant de questions.

15

Mme Pennywell alluma le feu et chauffa de l'eau pour moi dans une grande cuve en fer. Je me nettoyai de la suie, de la boue et de la fumée du voyage.

Je me lavai de tout sauf des souvenirs et de la peur. Je voyais encore le visage rond du capitaine Cunningham se pencher sur moi avec ses yeux pâles et son sourire feint. J'entendais la voix caverneuse de David

Whitlock m'annonçant la terrible nouvelle, et la détonation du fusil tandis que je courais maladroitement sur la berge, dans la nuit noire.

Mme Pennywell semblait mal à l'aise. Elle ne cessait de nouer et de dénouer les cordons de son tablier. Soudain, elle me dit :

– Tu n'aurais pas dû t'enfuir. Les hommes du roi ne sont pas comme les rebelles. Ils ne sont pas comme Birdsall et sa bande.

– Il n'y a aucune différence.

– Tu n'es pas coupable. Tu aurais eu un procès et on t'aurait libérée. Tu n'aurais plus eu de souci à te faire.

Je ne répondis pas. Tout me paraissait irréel. La cuisine, les corneilles qui piaillaient dans le verger, même Mme Pennywell qui parlait avec embarras étaient autant d'ombres fantomatiques. Tout cela arrivait à quelqu'un d'autre. Peut-être que les déments ont cette impression, pensai-je.

J'avais peur du capitaine Cunningham, mais la peur n'était qu'une petite partie de mes sentiments. J'éprouvais surtout de la colère. Colère devant la guerre qui avait causé la mort de Chad et de mon père. Colère contre les rebelles et les hommes du roi pareillement. Et devant toutes ces morts inutiles.

M. Pennywell arriva. Il n'était pas d'accord avec sa femme.

– Et s'ils avaient jugé Sarah coupable au procès ? dit-il, que se serait-il passé ?

Elle ne répliqua rien.

– Il vaut mieux que nous la cachions. Nous avons un endroit sûr dans le cellier. Il a déjà abrité nombre d'hommes du roi.

– Peut-être qu'ils ne viendront pas ici, dit sa femme.

Je sentais qu'elle aurait bien voulu que je m'en aille. Je ne l'en blâmais pas.

– Je vais m'en aller, annonçai-je.

Elle parut se sentir mieux.

– Je peux partir tout de suite.

– Il n'en est pas question, déclara M. Pennywell. Ils te rattraperont sur la route avant que tu n'aies fait un pas.

Il demanda à sa femme d'aller chercher mes affaires.

– De quoi ont l'air ces hommes ? me demanda-t-il.

– L'un est un grand Hessien au visage noirci. L'autre, le sergent, est petit et mince.

– Que porte-t-il ?

J'avais du mal à réfléchir. Finalement, je répondis :

– Une veste verte, un pantalon blanc et des guêtres vertes. Il a un pistolet à deux canons brillants. Il y avait trois hommes avec lui. Je crois qu'ils seront à pied parce que la voiture et les chevaux sont restés à New York.

– Pas forcément. Tu sais qu'il y a un camp anglais, près de Wallabout Bay. Ils y auront trouvé des chevaux. As-tu mentionné au sergent où à quiconque que tu habitais ici, au Lion et l'Agneau?

– Je ne m'en souviens pas. Sans doute, mais j'ai oublié.

– Tu vas rester à la cuisine. Moi, j'ouvre l'œil. Il est possible qu'ils ne viennent pas jusqu'ici mais s'ils le font, je sonnerai la cloche. Je vais te montrer où te cacher.

– Je ferais mieux de partir, répétai-je, car j'en avais envie.

Mais M. Pennywell me prit par le bras et me conduisit jusqu'à un escalier qui descendait de la cuisine à un cellier rempli de barils de rhum. L'un des tonneaux était vide et le fond coulissait comme une porte. La moitié, en tout cas. Au-delà de cette ouverture, on avait creusé une petite pièce dans le rocher.

– Il y a de l'eau et de la nourriture, m'expliqua M. Pennywell. Assez pour nourrir trois personnes pendant une semaine. Nous avons caché là le juge Stillwell durant vingt jours. On aurait dit une pomme de terre germée quand il est sorti; mais au moins, il était en vie.

Il mit mes vêtements et la bible dans le tonneau vide, différentes choses que sa femme avait apportées, et me donna une couverture.

– Au cas où tu devrais y passer la nuit, dit-il.

Ils arrivèrent au crépuscule sous une pluie légère. Deux hommes sur des chevaux fringants. M. Pennywell n'eut pas besoin de sonner la cloche, parce que je les avais vus pendant qu'ils montaient la colline. Je reconnus le Hessien et McCall dans son uniforme vert, ses cheveux blonds flottant au vent.

Je descendis l'escalier avec une bougie. Je grimpai dans le tonneau et fis glisser la porte. J'attendis là pendant que les hommes entraient dans la taverne. Ils firent beaucoup de bruit en enlevant la boue de leurs bottes. Puis ils discutèrent avec M. Pennywell, mais je ne pus comprendre ce qu'ils disaient.

Ils parlèrent longtemps, peut-être une demi-heure. Puis, tout fut silencieux. J'entendais des pas dans le bar juste au-dessus de ma tête et, quelques instants plus tard, le martèlement de leurs bottes lorsqu'ils traversèrent la cuisine.

Je gagnai la petite pièce en pierre. Des pas retentirent dans l'escalier du cellier. Le sergent McCall réclama une lanterne. Une lueur soudaine brilla au-dessus de moi et des voix calmes s'élevèrent. L'un des hommes accrocha le tonneau vide de sa botte mais, au bout d'un moment, la porte de la cuisine s'ouvrit et se referma.

La pendule du bar sonna neuf heures. Je ne pouvais dire si les hommes étaient en train de souper.

L'horloge sonna dix heures. Peu après, Mme Pennywell vint me dire que le sergent McCall avait décidé de passer la nuit à l'auberge.

– Ne sors pas avant leur départ, demain matin, me recommanda-t-elle.

16

La bougie se consuma et je restai assise dans le noir jusqu'à ce que minuit sonne.

Puis je fis glisser la porte, rassemblai toutes mes affaires et les enveloppai dans la couverture. M. Pennywell m'avait également donné une pièce. Je mis tout l'argent, pièces et papier, ce qui faisait moins de deux livres, dans mon corsage et montai l'escalier de la cuisine. Je pris une miche de pain dans la huche et laissai six pence à la place.

J'attendis au milieu des noyers qu'il fasse jour. Puis, je me dirigeai vers la maison de Mme Jessop pour lui rendre la bible. Je marchai vite en m'abritant derrière les arbres.

Mme Jessop m'aperçut sur la route et vint à ma rencontre en courant. Les nuages arrivaient de l'ouest. Il pleuvait, à présent, et j'étais trempée.

Elle me fit entrer dans la maison, alluma du feu et m'aida à me sécher. Je lui racontai du mieux que je pus mes aventures. Certaines, en tout cas. Je pensais qu'elle allait vouloir que je m'en aille, vu la tournure des événements, mais elle m'assura qu'elle avait de quoi me loger et que je pouvais rester aussi longtemps que je le désirais.

– Tu ne peux pas retourner à la ferme. Des gens se sont installés dans les ruines. Les Sullivan. Trois frères, aux cheveux aussi noirs que leur cœur. Ne t'en approche surtout pas.

Je ne souhaitais pas revoir la ferme. Je désirais m'éloigner le plus possible du bruit des batailles, de la haine et des tueries. Aussi loin que mes pieds pourraient me porter. Tout était confus dans mon esprit mais de cela, j'en étais sûre.

Je défis mon paquetage et sortis la bible.

– Garde-la, me supplia-t-elle. Garde-la près de toi. Elle guidera tes pas dans le bon chemin. Elle t'apportera le réconfort. Elle te protégera du mal.

Ces paroles me mirent en colère.

– Cela n'a pas protégé mon père, éclatai-je, ni mon frère!

Mme Jessop me regarda comme si, soudain, les cornes du diable avaient poussé sur mon front. Elle arracha la bible de mes mains, l'ouvrit et marqua d'un doigt un passage.

– Job, chapitre V, verset 18, dit-elle. *C'est lui qui en faisant souffrir, répare. Lui, dont les mains en brisant, guérissent.*

– Je ne suis pas guérie. Je suis malade et seule!

Mme Jessop fronça les sourcils mais poursuivit.

– Job, V, 17. Vois : *Heureux l'homme que Dieu réprimande.*

– Je ne suis pas heureuse et pourquoi Dieu me réprimande-t-il en tuant mon père et mon frère? Et eux? Pourquoi devraient-ils mourir pour moi? Je ne comprends pas.

Mme Jessop dit :

– Tu comprendras plus tard, quand tu seras plus âgée. Comme Job a compris.

Elle tourna plusieurs pages de la bible, mais récita de mémoire, les yeux fixés sur moi :

– *Alors, le Seigneur répondit à Job du sein de l'ouragan et dit... Où étais-tu quand je fondais la terre?... Tandis que les étoiles du matin chantaient en chœur... Es-tu parvenu jusqu'aux sources de la mer?... Es-tu parvenu jusqu'aux réserves de neige?... Du ventre de qui sort la glace?... Qui enfante le givre des cieux?... Est-ce quand tu les lâches que partent les éclairs en te disant : Nous voici?*

Ses yeux étaient vrillés sur moi, deux étincelles sous ses sourcils noirs.

– Comme Job, tu ne sais pas tout ce qu'il faut savoir. Ne méprise donc pas le châtiment du Tout-Puissant.

Je me mordis les lèvres mais répondis d'une voix claire :

– Je méprise son châtiment.

Mes paroles étaient à peine exprimées qu'un éclair zébra le ciel bas et qu'un coup de tonnerre secoua la maison.

Mme Jessop leva les bras, horrifiée. Elle battit l'air de ses mains. La bible tomba sur le plancher et les pages voletèrent.

– Dieu a parlé! s'écria-t-elle.

Un second éclair stria le ciel. Le tonnerre gronda plus fort cette fois et plus près. Une odeur de brûlé envahit la pièce.

– Repens-toi! croassa Mme Jessop.

Un chat jaune, qui sommeillait sur la huche, fit le gros dos en montrant les dents. La tante de Mme Jessop, assise calmement près du feu, essaya de se lever de sa chaise mais glissa et s'affala.

– Repens-toi de tes paroles ou Dieu te détruira! cria encore Mme Jessop. Repens-toi!

Je ne répondis pas. Sa tante gisait sur le sol en gémissant. Je ramassai mon ballot et la bible. Je ne sais pas pourquoi je la pris, sauf que la bible – celle de mon père – avait toujours fait partie de ma vie. Je remerciai Mme Jessop et sortis rapidement. La pluie avait cessé.

Il y eut un autre roulement de tonnerre. Je marchai vite sur la route en direction de la ferme mais, lorsque j'en approchai, je coupai par le champ de chaume et revins au ruisseau pour ne pas voir l'endroit où notre maison se dressait auparavant.

Quarme se tenait sur le seuil du moulin de Purdy. Il contemplait le ciel orageux. Il me regarda de ses yeux de chat sauvage mais fit comme s'il ne m'avait pas vue. Je fis de même.

Pourtant, de le voir comme ça, sur le seuil de la porte, raviva tous les amers souvenirs de la mort de mon père. Je ne pouvais les effacer de mon esprit. Même une fois le moulin bien loin derrière moi, je pensais encore à la nuit où Birdsall nous avait ruinés.

Le ciel s'éclaircit à la tombée du jour. J'arrivai à un gros bouquet de noyers et m'enfonçai entre les arbres jusqu'à une clairière. J'allumai un petit feu en me servant du briquet à amadou que Mme Jessop, à mon insu, avait glissé dans mon baluchon. J'étais bien loin de la route fréquentée qui allait au bac. Je ne m'inquiétai donc pas d'être vue. Je mangeai le dernier morceau de la miche de pain que j'avais prise à la taverne.

Après cela, je sortis la bible. À la lumière du feu, je lus Matthieu. J'arrivai au chapitre V, verset 44 :

– *Et moi, je vous dis, aimez vos ennemis, bénissez ceux qui vous maudissent, soyez bons envers ceux qui vous haïssent et priez pour ceux qui vous persécutent.*

Je lisais à voix haute. Les mots résonnaient étrangement dans la clairière. Ils restèrent suspendus au-dessus de ma tête avant de s'envoler. Un hibou hulula doucement. Je me penchai pour mieux déchiffrer à la lueur du feu mourant, et répétai :

– *Aimez vos ennemis, bénissez ceux qui vous maudissent.*

Les mots semblaient étranges à mes oreilles, encore plus étranges que tout à l'heure. Je fixai le feu et vis mon père debout sur le seuil de notre maison. Birdsall avait une torche à la main et l'un de sa bande, derrière lui, lançait une torche enflammée dans la meule de foin. Je vis Quarme en train de me lier les mains derrière le dos.

Entre les arbres, les étoiles brillaient à présent. Elles avaient l'air froides et lointaines. Je rajoutai quelques branchages dans le feu. Je récitai de mémoire :

– *Et priez pour ceux qui vous persécutent.*

Mais je vis alors devant moi David Whitlock, appuyé au bastingage du *Scorpion*, me criant que mon frère était mort. J'entendis claquer le fusil du Hessien et les cris du sergent McCall. Et ses pas au-dessus de ma tête, alors que j'étais cachée dans le cellier.

Je me mis debout. J'avais une terrible envie de crier. Mais je relus encore une fois le verset. Les mots étaient pour moi lettre morte, ils possédaient la froideur des étoiles dans le ciel.

Je tins le livre ouvert et, soigneusement, je déchirai la page de Matthieu et la jetai dans le feu. Les mots restèrent un moment apparents, noirs contre les cendres rougeoyantes. Le papier était fin. Il dégagea une petite flamme bleue. La flamme vacilla et mourut.

17

Au matin, je repris la route et atteignit le bac du Connecticut comme le soleil se levait. L'homme du bac était petit et noueux avec un large sourire et seulement quelques dents. Il était vêtu d'une vieille veste de l'armée anglaise. Cela me rappela que Chad, Père et moi avions traversé le détroit l'année dernière pour aller acheter une truie. Il voulut savoir comment se portait ma famille. Je lui dis qu'ils étaient morts et comment ils étaient morts. Je me sentis mieux de parler. Pas beaucoup mais un peu.

– Où allez-vous maintenant? demanda-t-il en repoussant le bateau de la berge. À White Plains?

– Au-delà.

– Au-delà, c'est plutôt vague.
– Au-delà, répétai-je.

Il me dévisagea comme s'il pensait que je n'avais plus toute ma tête.

– Eh bien, dit-il, où que vous alliez, vous ne devriez pas y aller seule. C'est une époque bien troublée.

Il m'apporta une tasse de thé et un petit pain puis disparut, me laissant la charge du gouvernail. Lorsqu'il revint, il tenait un fusil.

– Naturellement, une jeune fille comme vous ne devrait pas voyager du tout mais, puisque vous le faites, voici un bon compagnon de route.

Il me tendit le fusil.

– J'en ai hérité d'un déserteur anglais. Il est un peu vieux. Son canon est un peu rogné à la gueule mais il tire droit. Je l'ai essayé. Jusqu'à quatre-vingts pas et mieux, selon son utilisateur. Regardez un peu la crosse et la monture. C'est du cœur d'érable le plus pur. Et la baguette a un bout de cuivre. Aussi jolie qu'une prune. Ça s'appelle un brown bess. Tous les soldats anglais en sont armés.

Il visa un goéland qui volait au-dessus de nos têtes.

– J'ai aussi une belle chaîne de cuivre, des poinçons et un écouvillon pour nettoyer le canon.

Il me remit le fusil.
– Faites attention, il est chargé.

Je calai la crosse contre mon épaule et visai n'importe quoi. Il me sembla lourd au début. Puis, je pensai que si je pressais sur la gachette incurvée; une balle en sortirait, si rapide que l'œil ne pouvait la percevoir. Soudain, le fusil me parut léger entre mes mains.

– Le tout, dit le passeur – Brown Bess, poinçons et brosse, pierre et balles – pour la modique somme de deux livres six. Et j'ajouterai un sac de poudre pour faire bonne mesure.

– J'ai une livre et cinq shillings en monnaie anglaise et le reste en papier continental.

– Voyons le papier.

Je le sortis et le posai dans sa main.

– Ce certificat de cinq dollars pour le soutien des troupes continentales imprimé en Géorgie n'a aucune valeur. J'en ai tout un tas. Mais je vais prendre celui imprimé en août de cette année par la Convention de New York. Avec un petit bonus bien sûr. Si vous avez l'amabilité de me donner la livre anglaise, marché conclu.

Il ne me restait plus grand-chose de l'argent que j'avais économisé au Lion et l'Agneau, mais je songeai que j'en gagnerais en chemin. L'homme du bac avait dit que le brown bess serait un « bon compagnon ». Ce fut de cette façon que je considérai le fusil à partir de cet instant : comme un compagnon.

– Savez-vous vous en servir? demanda l'homme du bac.

– Non.

– Je vais vous apprendre. Un instant, que je bloque le gouvernail. La brise est légère. Nous avons encore une heure devant nous avant d'atteindre l'autre rive. Je vais le décharger et nous commencerons depuis le début, un pas à la fois.

Il regarda autour de lui, cherchant le goéland. Comme il avait disparu, il tira en l'air. Il me montra comment placer le fusil sous mon bras, verser la poudre dans le canon et la tasser.

– Doucement mais fermement, m'avertit-il. Maintenant, il faut la bourre, comme ça. Et puis, placez la crosse contre votre pied et poussez avec la tige. À présent vient la balle. Bien. Et un peu de poudre. Bien. Vous êtes prête à tirer.

Je visai un bout de bois qui flottait.

– Plissez les yeux, conseilla-t-il. On voit mieux de cette façon. Et retenez votre respiration quand vous appuyez sur la gâchette.

À ma grande surprise, la poudre explosa. L'impact me fit reculer. Mes oreilles tintèrent. J'avais raté le bout de bois de beaucoup, mais l'homme du bac me tapota l'épaule en disant :

– Vous serez un tireur d'élite avant la fin de l'année.

Nous abordâmes le Connecticut à midi. Nous avions croisé des bateaux qui se dirigeaient vers Long Island, mais aucun allant dans notre sens.

– Si on vous pose des questions à mon propos, dis-je, ici ou à Long Islang, voulez-vous leur dire que vous ne m'avez pas vue?

– Qui donc viendrait poser des questions?

– Deux hommes. Un sergent, nommé McCall et un Hessien. Deux hommes du roi. Le sergent McCall porte un uniforme vert.

Je lui racontai ce qui m'était arrivé.

– À votre place, je ne m'inquiéterais pas, dit-il. Les Anglais ont une sacrée guerre sur les bras. Ils sont bien trop occupés pour courir après une jeune fille.

– Mais vous direz que vous ne m'avez pas vue?

– Oui. Et où pourrais-je vous trouver?

– Je ne sais pas.

Et, le fusil sur l'épaule, je pris la route qui

menait vers le nord, en direction de White Plains.

18

La Flèche d'Or était à environ cinq lieues au nord du bac. Il y avait beaucoup de circulation sur la route, surtout en provenance de Long Island et du Sound. Chaque fois que j'entendais des cavaliers arriver de cette direction, je me cachais dans les arbres et attendais qu'ils passent.

La taverne appartenait à un certain Cochran. Je pensais qu'il allait me dire non lorsque j'entrai pour demander du travail. Il jouait au billard avec un homme en perruque brune.

– J'ai de l'expérience, dis-je à M. Cochran. J'ai travaillé au Lion et l'Agneau, à Long Island.

– Quel genre de travail ?

– À la cuisine. Je faisais le pain et bien d'autres choses.

– Vous servez aux tables ?

– Je le faisais aussi. Mais je préfère être à la cuisine.

M. Cochran m'examina des pieds à la tête.

– Vous voulez loger ici ? demanda-t-il.

– Oui.

– Avez-vous l'intention de rester ? La dernière serveuse a filé au bout d'une semaine.

– Je resterai plus longtemps, dis-je, mais je ne précisai pas combien de temps parce que je n'en savais rien.

M. Cochran prit une queue de billard dont il frotta le bout avec de la craie.

– Vous pouvez commencer tout de suite. Apportez un punch à mon ami, sans lésiner sur le rhum. Vous trouverez ce qu'il faut dans le bar après la porte.

Je fis un punch à son ami. En fait, je lui en fis quatre. Et il devint tout rouge. Il déposa sa queue de billard et s'assit pour parler des Anglais qui avaient boudé les rebelles hors de New York.

– À présent, ils se préparent à les chasser du Connecticut, dit-il.

Il buvait dans un grand verre dont le fond était orné d'un poisson. Lorsque son verre était vide, il disait :

– Le poisson est hors de l'eau !

J'étais alors censée courir le lui remplir à nouveau. En tout, je lui en apportai six.

– J'ai vu le général Washington traverser

White Plains ce matin, dit-il. Le général se prépare à défendre la ville. Il y a pas mal de troupes massées là-bas mais ce sont de toutes jeunes recrues, pauvrement armées. Les Anglais n'en feront qu'une bouchée. D'eux et du général. Ils vont les repousser au-delà de North River. Ceux qu'ils ne tueront pas.

White Plains n'était qu'à une lieue de la taverne. Cette nuit-là, je ne pus dormir, pensant à la future bataille, entendant déjà le bruit des canons et des fusils et les cris des hommes qui mouraient. Le lendemain, je partis. M. Cochran voulait me garder mais je partis quand même, bien qu'il refusât de me payer ce qu'il me devait.

On était à présent fin octobre. L'hiver approchait. Je n'avais pas beaucoup d'argent pour tenir.

J'aperçus dans le village une boutique de perruques qui annonçait en vitrine qu'on cherchait des cheveux de femme, blonds de préférence. J'entrai et me fis couper les cheveux.

– Ils sont d'une belle texture, dit le perruquier, et très longs. Il me donna onze shillings et un bonnet blanc orné de dentelle rose pour couvrir ma tête rasée.

La journée était claire et froide lorsque je quittai la boutique. La route en direction du nord était encombrée de cavaliers, de chariots et de bestiaux. Tout le monde semblait pressé.

19

Cette nuit-là, je dormis dans une auberge bon marché. Je partageais la chambre avec trois dames qui dormaient dans le même lit. Cela leur en coûtait six shillings mais, pour moi qui n'avais qu'une paillasse sur le sol, cela me revint à seulement six pence.

Au lever du soleil, je repris la route et eus la fortune de trouver une place sur une charrette qui allait vers le nord. Le conducteur s'appelait Sam Goshen. Cet homme sec parlait du nez, qu'il avait gros et violacé. Il portait une veste de chasse à franges, ceinturée d'une peau de serpent.

Deux bœufs tiraient la voiture, remplie d'un bric-à-brac de meubles et de fourrures roulées. Attachés derrière, il y avait deux vaches et un cheval pie. Il me rattrapa non loin de la taverne. Il repoussa le chien hirsute aux yeux bleus qui était assis à côté de lui et me fit signe de monter.

– Où allez-vous? s'informa-t-il avec un sourire.

Si j'avais voulu dire la vérité, j'aurais répondu : « Je n'en sais rien. » Au lieu de quoi je lui racontai que je me rendais à Ridgeford.

– Vous avez des amis là-bas? De la famille?

– Oui, mentis-je.

– Les lieux sont plus sûrs là-haut qu'ici. Il va y avoir une bataille à White Plains, c'est certain. Une grande bataille. Washington a rassemblé trois mille hommes, abrités derrière des barricades, prêts à se battre. Et les Anglais en ont encore plus. Deux fois autant, à ce que j'ai entendu. Beaucoup de Hessiens.

Il avala une lampée d'un liquide dans une jarre. Je supposai que c'était du madère, parce que ses fausses dents avaient la couleur foncée que prennent celles des hommes buvant ce genre de boisson. Du moins, c'était ce que M. Pennywell m'avait dit.

– Vous semblez craintive, dit M. Goshen. Vous vous retournez tout le temps. La bataille ne va pas commencer tout de suite, rassurez-vous. Dans un jour ou deux peut-être. D'ici là, vous serez loin.

Je regardais effectivement derrière moi. C'était stupide mais je ne pouvais pas m'en empêcher.

– À quelle distance sommes-nous de Ridgeford ? demandai-je.
– Assez loin. Si nous nous pressons, nous pourrons y arriver à la tombée de la nuit.
– Y a-t-il une auberge ?
– Oui, mais c'est cher. Deux shillings la nuit, simplement pour coucher par terre. Il vaut mieux camper au bord de la route et économiser l'argent.

Les bœufs étaient lents et la route serpentait en montant à travers les collines. Au crépuscule, M. Goshen s'arrêta dans un bosquet de sycomores. Je rassemblai mes affaires et descendis du chariot. Il alluma du feu, puis se mit à traire l'une des vaches.

– Je serais ravi que vous restiez manger un petit quelque chose avec moi, dit-il. Ridgeford est encore à environ une lieue.
– Je vais continuer mon chemin, répondis-je. Merci de m'avoir emmenée jusqu'ici. Je serais heureuse de vous payer ce que je vous dois.
– Il ne me viendrait pas à l'idée de prendre de l'argent, surtout à une aussi jolie fille que vous. (Il sortit un morceau de bacon et en coupa deux grosses tranches qu'il jeta dans une poêle sur le feu.) Vous êtes plus que bienvenue.

Je le remerciai encore. Puis, plaçant le

baluchon sur mon dos, le brown bess sous mon bras, je me dirigeai vers la route. Comme je contournais le feu, M. Goshen me saisis soudain par le bras. Je crus, au début, que c'était un geste amical. Puis, je vis ses yeux. Dans la lumière rasante, ils étaient rouges comme ceux d'un lapin.

– Désolé de vous voir partir, dit-il. Ce serait gentil de partager mon souper. Un homme n'aime pas manger seul.

Je voulus me dégager.

– Pas besoin de vous démener comme ça. Je ne vous veux pas de mal.

Je me sentis molle et désarmée.

– Pas de mal du tout.

J'essayai de me dégager, mais il m'attrapa l'autre bras et me pressa rudement contre le chariot. Le cercle d'acier d'une des roues me meurtrit le dos. Je lâchai mon baluchon et le fusil.

– Voyons, voyons, murmura-t-il d'une voix roucoulante. (Il sentait le vin.) Calmez-vous, Miss.

Le petit chien aux yeux bleus se mit à aboyer.

– Que peut bien faire une jeune fille seule sur la route si elle n'a pas quelque idée derrière la tête ?

Je tentais de répondre mais il ne m'en laissa pas le temps :

– Ce n'est pas bien de se promener ainsi seule à travers le pays.

Deux cavaliers passèrent sur la route de Ridgeford.

– Ce n'est vraiment pas bien.

Le petit chien me mordilla les chevilles; Goshen lui lança un coup de pied.

Le fusil se trouvait sur le sol, à un pas derrière lui.

– Ce n'est pas bien du tout, répéta Goshen qui entreprit de dégrafer mon corsage.

Par chance, ce faisant, il fit tomber mon bonnet. Une expression de surprise se peignit sur son visage lorsqu'il aperçut ma tête rasée. Il ouvrit grand la bouche.

Pendant le bref instant qu'il lui fallut pour reprendre ses esprits, je plongeai sur le fusil et l'attrapai par la crosse. Je le pointai sur lui et enlevai le cran de sûreté de la gâchette. L'explosion brisa le calme du crépuscule.

Le cheval pie était attaché non loin de là. Je le détachai, jetai mon baluchon en travers de son dos et montai. Je gardai le fusil pointé sur Goshen pendant toute l'opération.

– Je laisserai votre cheval à la taverne, dis-je. Et je m'éloignai.

Le petit chien me suivit en aboyant, mais

Sam Goshen resta près du feu. Il y avait encore de la lumière vers l'ouest. J'arrivai rapidement à Ridgeford.

20

Lorsque j'eus conduit le cheval de Goshen à l'écurie, je pris une chambre à l'auberge. Le sol était occupé par quatre femmes, je dus donc dormir dans le lit avec deux autres femmes, ce qui me coûta un shilling de plus. Je me réveillai à l'aube, ne sachant plus où j'étais. Je me sentais incapable de faire un geste. Pas même de sortir du lit.

Finalement, je réussis à me lever et me rendis dans la cuisine, où brûlait un feu. Une jeune Noire faisait des gâteaux. Elle avait roulé de la pâte jaune sur tout le plateau de la table et la découpait avec une lame en étain. Clic, clic, clic.

Elle ne leva pas les yeux lorsque j'entrai et continua son travail. Je lui demandai quel genre de pays se trouvait vers l'ouest.

– Il y a une grande rivière par là, dit-elle. Je l'ai traversée il y a deux semaines.

– Loin?

– Huit ou dix lieues, je ne sais pas.
– Et entre ici et la rivière?
– Entre? Rien, si ce n'est la nature sauvage.
– Est-ce que c'est habité?
– Il n'y a pas grand-monde, ce me semble. Une poignée d'Indiens. Peut-être plus. C'est tout ce que j'ai vu.

Elle posa les gâteaux sur un plateau et les enfourna.

– Ils cuisent vite. Rappelez-le moi, dit-elle. Je vais vous servir votre déjeuner.

Elle me regarda pour la première fois. Elle se tenait tout près de l'âtre et les flammes l'éclairaient directement. Elle était jeune, plus jeune que je ne le pensais. Mince, avec des yeux clairs et une petite bouche qui paraissait sourire sans sourire.

Une description que j'avais lue au Lion et l'Agneau me revint à l'esprit. Elle disait :

> Recherchons négresse. Environ cinq pieds six pouces. Vingt-deux ans. Mince. Deux dents de devant se chevauchant. Yeux noisette. Voix douce. Récompense généreuse de vingt livres à qui ramènera cette fugitive. John Clinton, Plantation Brandon, Edenton, Caroline du Nord.

La description convenait à la jeune femme debout devant moi. Devais-je la prévenir? Si j'avais été à sa place, aurais-je voulu savoir? Peut-être comprit-elle. Je crus lire une expression de crainte dans ses yeux, puis je décidai que c'était une ombre projetée par les flammes. Et je ne dis rien.

– D'où venez-vous? questionna-t-elle.

– De Long Island.

– Vous êtes pressée de repartir?

– Oui.

– Je ne vous demande pas pourquoi. C'est votre affaire. Tout le monde voyage ces temps-ci, pour une raison ou pour une autre. Et tout le monde semble pressé.

Je lui rappelai que les gâteaux devaient être prêts. Elle m'en donna quelques-uns et me versa un bol de thé. Les gâteaux étaient fourrés aux noix.

– On dirait que vous m'avez déjà vue? remarqua-t-elle.

– Jamais.

Ses boucles d'oreilles en or brillèrent à la flamme.

– Vous avez lu quelque chose à mon propos, alors? Vous savez, ces affichettes concernant les déserteurs ou les esclaves en fuite.

– Oui. Dans une taverne.

– Où ça?

– À Long Island. Au Lion et l'Agneau.
– C'est loin?
– À une journée et plus à cheval. Il faut prendre le bac aussi.
– C'est assez près.

Elle avait une voix douce, au débit lent.
– Je crois que je ferais mieux de partir. Je suis sur les routes depuis le printemps dernier. Avant la floraison du coton. Je suis fatiguée. Ça vous arrive d'être fatiguée?
– Oui.
– Si fatiguée que vous pourriez soudain vous asseoir et pleurer?
– Non. Je n'ai pas envie de m'asseoir et pleurer, dis-je, pensant à Quarme, à Ben Birdsall, au capitaine Cunningham, au sergent McCall, au Hessien au visage noirci et à Sam Goshen. Moi, dans ces cas-là, j'ai plutôt envie de tirer sur les gens.

La femme lança un regard sur mon fusil appuyé contre la table.
– Je n'ai jamais éprouvé ce genre de colère, dit-elle. Jamais.

Elle plaça les gâteaux dans une jarre sauf deux, qu'elle enveloppa dans un torchon. Elle entra dans une sorte de placard, à côté de la cuisine et en ressortit avec un baluchon de la taille du mien.
– J'échangerais bien ma place, dis-je.
– Je n'en ai jamais eu envie, répondit-elle.

Je pensai à la région sauvage dont elle avait parlé.

– Cette terre, là-bas, est-ce beau?

– Jamais vu plus beau. Des lacs, de l'eau qui coule. Mais c'est vraiment sauvage.

– Ça m'a l'air d'un endroit où personne ne viendrait vous chercher, où l'on peut se reposer.

– Je ne crois pas qu'on pourrait se reposer avec tout le travail qu'il y aurait à faire. Mais, d'après ce que j'en ai vu, personne ne doit venir vous embêter. Ça, certainement pas.

À cet instant, tout en bavardant, je pris ma décision. Je ne me sentais pas bien, j'avais l'esprit confus et j'étais lasse de fuir. J'avais peur des soldats anglais. Mais, qu'ils me recherchent ou pas, je n'avais pas envie de me fixer ici. Je voulais être seule. J'irais dans cette contrée sauvage qui s'étendait entre le village et la grande rivière. J'étais allée assez loin.

21

De l'autre côté de la rue se dressait un magasin d'articles divers. Il était peint en blanc et un écriteau au-dessus de la porte annonçait : THOMAS MORTON & FILS. Avec l'argent qui me restait, j'achetai une hache munie d'un long manche, une mesure de farine, la mélasse, du sel en quantité, deux épaisses couvertures, de la poudre et des balles.

Je surpris un jeune homme au visage sérieux qui m'observait de derrière une pile de boîtes en carton. Je supposai que ce devait être le fils Morton. Morton senior avait une barbe carrée. Il la prit entre ses deux mains, et me dit que je devais être nouvelle à Ridgeford parce qu'il ne m'avait encore jamais rencontrée.

– Tu as l'intention de t'installer, ma sœur, ou tu ne fais que passer?

– Je ne fais que passer.

– Tu vas vers le nord?

Je hochai la tête, même si ce n'était pas la direction que j'avais l'intention de prendre. M. Morton avait un regard froid, qui ne cessait de se poser sur mon fusil.

– Tu vas trouver beaucoup de neige dans le nord, ma sœur. Si tu prends trois couvertures, je te ferai un prix.
– C'est tout l'argent que j'ai sur moi aujourd'hui. Si vous voulez me faire confiance...
– Je ne peux pas, si tu es seulement de passage.

J'avais le sentiment profond qu'il ne me ferait pas confiance même si j'avais l'intention de demeurer à Ridgeford jusqu'à la fin de mes jours.

– Je note que tu portes un fusil, dit-il. Ridgeford et les environs sont paisibles et les habitants respectueux du Seigneur. Je me demande pourquoi tu as une arme.
– Ce n'est pas votre affaire, répondis-je.

Devant cette impolitesse, M. Morton abaissa les coins de sa bouche mais garda les yeux fixés sur le fusil. Un roulement de tonnerre soudain et puissant retentit.

– Tu vas avoir besoin de protection contre l'orage, ma sœur. Je constate que tu es légèrement vêtue. Je peux te fournir un vêtement adéquat si tu me laisses ton fusil en gage.
– Merci, dis-je, mais je ne veux pas m'en séparer.

M. Morton grogna. Il était clair qu'il avait l'impression d'avoir affaire à une folle. Je crois qu'il était presque persuadé que j'allais tourner le fusil contre lui s'il en disait plus.

La pluie battait bruyamment contre les vitres. Des jurons éclatèrent dans la rue et un lourd chariot s'arrêta.

– Ce soit être Sam Goshen, dit M. Morton. (Il regarda par la fenêtre.) C'est Sam, en effet. Il a dû voler une paire de vaches en route.

J'avais encore besoin de quelques articles mais je réglai mes achats. Je dis au revoir et allai jeter un coup d'œil par la fenêtre. Goshen était en train d'attacher ses bœufs. Cachée derrière une pile de vêtements, j'attendis qu'il entre. Puis je me glissai dehors sans bruit, traversai la rue et m'abritai derrière un bosquet de sumacs pour savoir s'il m'avait vue. Comme il ne réapparut pas sur le seuil de la porte, je repris la route.

Je croisai la fille noire qui se dirigeait vers le nord, d'un bon pas. Nous nous saluâmes, moi en levant mon fusil. Plus loin, je m'arrêtai et me retournai afin de vérifier que Sam Goshen ne me suivait pas. Il n'était nulle part en vue mais son petit chien aux yeux bleus – endormi, je suppose, lorsque j'étais passée à côté du chariot – s'avança en trottinant. Il décrivit des cercles autour de moi en grondant. Sans faire attention à lui, je poursuivis mon chemin.

La pluie avait faibli. Réfugiée sous un gros érable, je réfléchis. Lorsque j'étais arrivée à Ridgeford, j'avais aperçu cette terre sauvage dont avait parlé la fille noire. J'étais certaine d'y trouver du bois pour me construire un abri et du gibier en abondance pour me nourrir.

En outre, les hommes du roi perdraient sans doute ma trace, découragés par cette immensité.

Il recommença à pleuvoir mais je partis d'un bon pas, malgré mon lourd baluchon.

Je longeai un verger de pommiers dont quelques fruits étaient tombés sur le sol. J'en pris sept, en mangeai un et mis les autres dans mon corsage. Il n'y avait aucune maison ni ferme aux alentours.

Je grimpai une colline plantée de pins et descendis l'autre versant jusqu'à une prairie garnie d'érables dont les feuilles flamboyantes donnaient l'impression qu'on aurait pu se réchauffer à leur contact.

Le crépuscule s'était installé et, me sentant fatiguée et trempée, je m'abritai sous l'un de ces grands arbres. Les branchages que je ramassai étaient mouillés mais en utilisant un peu de ma poudre, je parviendrais à les enflammer. Non loin coulait un ruisseau où nageaient des truites que j'aurais pu pêcher si j'avais pensé à acheter des hameçons et une canne. Mais je n'avais pas vraiment faim. J'étais bien trop fatiguée.

Le ciel s'éclaircit, dévoilant les étoiles. Lorsqu'il fit nuit, des nuages affluèrent du nord et un vent froid fouetta les arbres. Inutile d'aller plus loin. Du bois pour un abri, il y en avait tout autour de moi. Ainsi que de l'eau pour boire et de quoi allumer un feu. À l'autre bout de la prairie, des oies sauvages se nourrissaient. Des oiseaux s'interpellaient dans les buissons.

Tout ce dont j'avais besoin était là. Pourtant, je ressentais l'envie de continuer, de grimper la colline qui s'élevait devant moi, de marcher encore et encore, pour laisser Ridgeford et tous les autres villages loin derrière moi.

La tentation de rester dans le pré était forte mais, finalement, je nouai mon baluchon et pris mon fusil. J'attaquai la colline. Comme j'atteignais la crête, l'orage éclata.

Entre les lambeaux de brouillard, j'aperçus, non loin en dessous, un trait noir à flanc de coteau qui pouvait peut-être m'offrir un abri. Je me dirigeai dans cette direction, en trébuchant et en glissant. À ma grande surprise, je découvris qu'il s'agissait de l'entrée d'une grotte.

À l'intérieur, j'entendis une lourde respiration, des mouvements confus, puis le claquement de sabots contre le roc. Je reculai d'un pas et criai.

L'écho me revint. Il y eut un moment de silence. Puis je sentis comme un courant d'air, de la vapeur animale et des corps s'élancèrent hors de la grotte pour se perdre dans le brouillard. J'avais dérangé un troupeau de daims qui s'étaient abrités là.

Il y eut encore des bruits dans la grotte. J'avançai d'un pas et poussai un nouveau cri. J'avançai encore et vis confusément un couple de renards acculés dans un coin, qui me regardaient avec de grands yeux effrayés. Je les fis sortir et ils dévalèrent la pente au galop.

Près de l'entrée, je trouvai du bois que quelqu'un avait entassé. Avec la poudre et mon briquet à amadou, j'allumai un feu.

Je m'assis à côté et posai le fusil près de moi. Je mangeai le reste des pommes. J'écoutai le vent du nord et la pluie qui cinglait les arbres. Les flammes projetaient des ombres chaudes sur la pierre sombre.

« Voici enfin un endroit où me reposer », me dis-je. Je fus tentée de prier mais ne le fis pas.

22

Le jour pointa, frais et clair. La première lueur pénétra par l'entrée découpée de la grotte. J'examinai ce que j'avais seulement entrevu la veille au soir.

J'étais dans une salle formant un carré irrégulier, avec un sol de pierre, et des parois lisses qui s'incurvaient pour former, au-dessus de ma tête, une voûte grossière. Au sommet, un trou irrégulier laissait passer la lumière.

Au centre de la salle, près de l'endroit où j'avais fait mon feu, il y avait un cercle de cendres, et non loin gisaient six pots d'argile, tous cassés. Sur les quatre parois, je distinguai des dessins dans les tons bruns et rouge foncé représentant un ours, une sorte de gros chat sauvage et un troupeau de daims au galop.

En découvrant cela, je me sentis mal à l'aise. Des gens avaient occupé cet endroit. Les cendres étaient froides et les pots recouverts de poussière, mais ces gens pouvaient revenir. Puis, au bout d'un moment, je commençai à ressentir autre chose envers ceux, quels qu'ils fussent, qui avaient fait du feu et peint ces animaux. Leurs dessins avaient pâli et se confondaient presque avec la pierre. Leurs pots étaient cassés. Leurs foyers n'étaient plus que des cercles de cendres grises et froides. La grotte existait depuis très, très longtemps. Elle avait dû abriter nombre de personnes, qui, à leur tour, étaient partis.

Je me mis debout. Le feu était mourant. Je le ranimai avec un peu de poudre et roulait une bûche tout près. Ce fut alors que je me décidai. J'étais allée assez loin, bien assez loin.

Je sortis de la grotte et regardai autour de moi. Le soleil était caché par une colline. C'était le bref instant avant l'aube véritable. Au pied de la pente boisée, je vis deux petits étangs et entre eux, un lac d'un bleu profond qui s'étendait vers l'ouest. Dans la lumière diffuse, la région était splendide.

« Oui, me dis-je, je suis allée aussi loin que je voulais. »

Pendant que je me tenais là, contemplant la forêt et le lac, je pris conscience d'un bruit plus doux que celui qu'avaient fait les daims en s'élançant, mais assez fort tout de même. C'était un bruit d'ailes, de centaines d'ailes qui voletaient.

Le vol dura plusieurs minutes. Lorsque ce fut terminé, j'entrai dans la grotte. Tout en haut de la voûte, un rayon de soleil éclairait une masse noire et palpitante de chauves-souris piaillantes, suspendues la tête en bas sur une saillie rocheuse.

Je ne pouvais vivre dans une grotte habitée de créatures aussi bruyantes. Je me mis donc aussitôt à constuire une cabane appuyée contre le rocher. Cela me prit une demi-matinée de dur labeur.

Je me rappelai qu'un été, chez nous, un couple de chauves-souris avait pénétré dans la maison. Elles étaient restées trois jours accrochées à une poutre, jusqu'à ce que Père pense à laisser la porte ouverte la nuit. « Elles sont entrées la nuit, avait-il dit, elles devraient sortir la nuit. » Et c'était ce qu'elles avaient fait.

Au crépuscule, lorsque les chauves-souris s'échappèrent, certaines par l'ouverture du haut mais la plupart par l'entrée de la grotte (sans qu'aucune ne me touche), je fermai l'entrée avec une couverture. Toutefois, je ne bouchai pas le trou de la voûte afin que la fumée puisse s'évacuer.

Le lendemain matin, j'aperçus quelques-unes de ces créatures dans les arbres alentour. Le jour suivant, je n'en vis aucune. Elles avaient, apparemment, trouvé un nouvel abri. Je ramassai du bois de pin et fis un grand feu dans la grotte, que j'entretins pendant deux jours complets.

Au bout de ces deux jours, je rassemblai mes affaires et abandonnai ma cabane de planches. Je fus contente de constater que la fumée de pin avait nettoyé l'air alourdi. J'avais besoin de la couverture pendant la nuit. Je fabriquai donc une sorte de porte grossière avec des troncs de jeunes bouleaux.

Près de l'entrée, au milieu d'un bouquet d'aulnes, trois sources jaillissaient des rochers et formaient un ruisseau qui serpentait le long de la pente et se déversait dans le lac. De nombreuses mares jalonnaient le cours du ruisseau, certaines dues à un barrage de castors et toutes grouillantes de poissons. J'attrapai deux petites truites à la main dans les eaux peu profondes.

Je les fis cuire. Pour la première fois depuis des semaines, j'avais faim. Je perçus un bruit. Je pensai tout d'abord que c'était le sifflement du vent soufflant à travers les fentes de ma porte de fortune. J'aperçus alors une ombre qui voletait d'un mur à l'autre. Elle disparaissait vers le toit, puis vers la porte.

Je me rappelai lorsque les deux chauves-souris étaient entrées dans notre maison. La première nuit, j'avais eu peur et m'étais réfugiée dans la réserve à bois. Pendant que j'étais cachée là, mon frère Chad avait roulé un de mes bas en boule. Il était venu à la porte et m'avait crié que les chauves-souris s'étaient envolées. Au même moment, il m'avait lancé mon bas roulé à la tête. J'avais cru que c'était l'une des chauves-souris et qu'elle s'était agrippée à mes cheveux. J'étais partie en courant et en poussant des cris épouvantés.

Je repensais à cette époque tandis que la chauve-souris tournoyait autour de moi. Finalement, je me levai et ouvris la porte. En une seconde, elle eut disparu. À l'aube, je la découvris accrochée à l'un des troncs de bouleaux. Elle était plus petite que ma main et d'un blanc pur, à l'exception d'une petite tache rose sur le front et de petites taches roses sous les ailes. Je la portai à l'intérieur et la plaçai dans un coin sombre. Au crépuscule, j'enlevai la porte et elle sortit pour aller chasser. À l'aube suivante, elle revint.

J'essayai de trouver un nom pour la petite créature.

23

Il y avait tant à faire que, le jour suivant, je fus prise de panique et ne fis rien si ce n'est m'asseoir devant la grotte pour observer les compagnies d'oies qui arrivaient du nord. Elles décrivirent des cercles au-dessus du lac, en formation triangulaire, tout en s'appelant et en criant, puis elles s'installèrent sur le lac. Certaines bandes volèrent si près de moi que je pus voir leur cou noir et brillant et les taches blanches sur leurs joues.

Mais le lendemain, je travaillai dur. Je ramassai des glands, environ la valeur de trois seaux, que je décortiquai, puis écrasai à l'aide d'une pierre avant de les laver dans le ruisseau. J'étendis cette farine grossière sur une couverture devant le feu et la laissai sécher toute la nuit. En me servant d'une bûche creuse et d'un gourdin, je pulvérisai encore davantage la farine. Puis la nuit, je la remis devant le feu.

Il y avait beaucoup de courges séchées dans la prairie. Je nettoyai une douzaine des plus grosses et les remplis de ma farine. Je fis cuire une grosse miche de pain pour le soir. Elle était beaucoup plus grossière et pas aussi savoureuse que le pain fait avec la farine moulue chez Purdy, mais meilleure que je ne l'aurais pensé.

Le temps restait froid et beau. Les érables étaient toujours en flammes. Les oies continuaient d'affluer du nord en si grand nombre qu'elles cachaient le soleil. Je réussis à en tuer deux d'un seul coup de fusil. J'étalai les plumes entre les deux couvertures, et j'eus ainsi une couette épaisse et chaude. Je fabriquai un matelas d'aiguilles de pin, mêlées de mousse et de roseaux. Il n'était pas aussi doux que celui que j'avais eu à la maison, ou même pendant mes voyages. Mais chaque soir, j'étais si épuisée que j'aurais pu dormir sur la pierre nue.

Pendant cinq jours, j'apportai du bois de la forêt environnante. J'en coupai un peu mais c'était surtout du bois qui était tombé au cours des orages des années passées. Je l'empilai contre un mur de la grotte, en une rangée profonde qui m'arrivait à hauteur d'épaule. Ce serait suffisant pour entretenir un feu pendant les longues journées et les longues nuits d'hiver, tout en conservant une réserve.

Je n'avais toujours pas de viande. J'avais relevé des empreintes au bord du marais, à l'endroit où un ours devait venir se nourrir.

Or malgré mon succès avec les oies, j'avais quelque doute sur mon habileté à tirer. J'avais menacé Sam Goshen avec ce fusil, mais je ne m'étais jamais attaquée à un ours. Mon frère en avait tué un, une fois, un petit; en me rappelant la peur qu'il avait eue, je repoussai cette idée. Si je rencontrais un ours et n'avais le choix qu'entre tirer ou être déchiquetée, ce serait différent.

Des daims venaient boire à l'étang le plus proche tous les soirs, une douzaine dans chaque harde, gras et luisants après l'été. Mon frère tuait des daims tout au long de l'année et je l'avais aidé à dépouiller les carcasses. J'avais cuit et mangé la viande. Mais je n'avais jamais aimé cela. Je me souvenais à quel point leurs yeux étaient magnifiques.

Pourtant, j'en abattis un sans remords. Je tendis la peau et la mis à sécher devant la grotte. J'avais l'intention d'en faire un matelas et un couvre-lit. La nuit suivante, cependant, des animaux – des renards, sans doute – emportèrent la peau. Je la retrouvai plus loin, mais elle était si mâchée que je ne pouvais plus l'utiliser. Je sauvai quand même quelques lanières.

Dans le ruisseau, je pêchais des truites. Elles étaient en telle abondance que je n'avais aucune difficulté à les attraper à la main.

Elles étaient tachetées et leur chair était rose. Je les ouvrais dans le sens de la longueur et les grillais sur le feu. Je pensai à en fumer quelques-unes pour l'hiver mais reportais cette tâche de jour en jour. Il y avait tellement de choses à faire.

Je confectionnai des mèches avec des fils tirés des couvertures, versai de la graisse de daim dans plus d'une douzaine de calebasses bien sèches et obtins ainsi des chandelles qui duraient des jours. J'en fis également avec de la graisse de daim et des joncs ramassés dans le marais.

Si j'avais eu du lin ou de la laine, j'aurais essayé de fabriquer un petit métier à tisser car j'avais absolument besoin d'une nouvelle robe. La situation étant ce qu'elle était, je n'avais d'autre occupation, après le souper, que de me coucher. Je n'éprouvais aucun désir de lire la bible. Je l'avais rangée sur un rebord en pierre et ne l'avais plus touchée depuis.

La chauve-souris blanche me tenait compagnie. Je la laissais sortir au crépuscule et la regardais s'envoler. Quelquefois, elle voletait autour de l'entrée comme pour m'adresser des signes amicaux. Je ne lui avais toujours pas donné de nom.

Je perdis la notion du temps. On était en novembre mais je ne savais pas exactement depuis combien de temps j'avais quitté la taverne Le Lion et l'Agneau. Je décidai que nous étions le 7 novembre. Je le gravai sur le mur avec mon couteau. C'était une date aussi bonne qu'une autre. Après cela, je fis chaque jour une encoche.

24

Cette nuit-là, le vent souffla plus fort. Il faisait vibrer ma porte et produisait d'étranges sons dans la grotte. À l'aube, il se calma. Tout était si calme que je pensai qu'il neigeait. Puis, j'entendis des bruits et me dis qu'un animal devait gratter la terre dans les environs. Mais, lorsque je sortis, un homme se tenait à moins de douze pas de moi.

Il y avait un buisson bas entre nous, de sorte que j'aperçus d'abord seulement son visage. C'était un visage d'Indien, long et foncé, avec des yeux noirs qui accrochaient la lumière de l'aube. Il m'examina avec surprise, comme s'il était tombé soudain sur un animal qu'il traquait.

L'Indien – ni jeune ni vieux – s'écarta du buisson. Il leva les mains pour montrer qu'il n'était pas armé. En réponse à ce geste amical, je déposai mon fusil contre le rocher. À ce moment-là, je vis qu'il avait un couteau de chasse enfoncé dans le haut d'une de ses bottes en daim.

Il toucha sa poitrine et prononça un long mot que je pris pour son nom. Quelque chose comme Wantiticut. Il portait une veste de daim graisseuse sur laquelle des petites pièces de cuivre étaient cousues. Il tira de sa veste une feuille de papier, qu'il déplia et me tendit.

Le papier était tout taché d'avoir été manipulé, et la plupart des mots étaient presque effacés, mais je réussis à déchiffrer *White Plains* et le nom *Taverne du Singe Jaune*.

L'Indien tint le papier devant moi seulement un bref instant. Avant que je puisse lire davantage, il le remit dans sa veste. Au même moment, il fit un geste qui englobait les étangs, le lac, le ruisseau, la forêt, le paysage alentour.

– À moi, dit-il, d'un ton hautain. À moi.

La hache était appuyée contre un arbre que j'avais l'intention d'abattre pour me faire une nouvelle porte. L'Indien se dirigea vers elle et la mit sur son épaule. Il jeta un coup d'œil autour de lui, cherchant si j'avais autre chose qui lui plairait. Ses yeux s'arrêtèrent sur la petite chauve-souris blanche qui était rentrée de sa tournée nocturne et pendait au-dessus de la porte.

– Pas bon, dit-il et il brandit la hache pour l'écraser.

Faisant un pas en avant, je m'interposai et pris la chauve-souris.

À nouveau, l'Indien sortit le papier et l'agita devant mon visage avec le même geste qui désignait tout le paysage.

– À moi, répéta-t-il. Waccabuc, à moi.

J'étais presque certaine que le papier ne me concernait pas. Il l'avait probablement ramassé quelque part et essayait de le faire passer pour un titre de propriété.

Il me considéra et attendit. J'aurais voulu lui dire que je ne possédais rien, ni la prairie, ni le lac, ni les arbres, ni la grotte.

Nous nous dévisageâmes en silence. Son regard était aussi aiguisé que la lame du couteau glissé dans sa botte.

J'aurais voulu lui dire que, tout en n'ayant aucun droit sur la nature autour de nous, je ne partirais pas. J'étais venue de loin et personne n'allait me chasser d'ici, ni lui ni un autre.

Ses yeux se posèrent sur le fusil. Celui-ci était à portée de ma main. Je le pris et pointai le doigt vers la hache qu'il avait sur l'épaule. Il ne fit pas mine de la lâcher, mais poussa un grognement insolent. Puis il regarda à nouveau autour de lui, visiblement dans l'intention de s'emparer d'autre chose.

Je poussai le cran de sécurité à mi-course, ce qui produisit un petit bruit dans le calme du matin. Je montrai la hache et prononçai le mot qu'il avait utilisé :

– À moi.

Il bougea au déclic du fusil. Ses yeux me fixèrent et j'y vis une lumière dure. Je m'attendais à ce qu'il abatte la hache sur moi à tout moment. Je dégageai complètement le cran de sécurité. Il y eut un bruit sec. Je braquai le fusil dans sa direction et lui répétai que la hache m'appartenait.

Il hésita, la bouche ouverte. Puis il prononça quelque chose dans sa langue, laissa tomber la hache sur le sol et descendit la colline en suivant le ruisseau jusqu'au bord de l'étang. Son canoë était sur la berge. Il le souleva pour le mettre à l'eau et s'éloigna, en pagayant d'un côté puis de l'autre.

Je l'observai jusqu'à ce qu'il soit hors de vue. Pendant tout le reste de la journée, je restai sur le qui-vive, pensant qu'il allait revenir. Cette nuit-là, je ne dormis pas, et gardai le fusil à portée de ma main.

25

Partout, je voyais les signes de l'approche d'un long hiver – comme nous en avions eu deux ans plus tôt à la ferme.

Trois écureuils ramassaient des noisettes à un rythme effréné, s'interrompant à peine dans leur travail. Les écureuils volants, qui en général sont nocturnes, sortaient au crépuscule pour récolter les derniers glands, secoués par deux jours de vent. Leur ventre était d'un blanc éclatant et leur fourrure épaisse, signe indubitable, selon mon père, de neige précoce. Les oies sauvages se mirent en route vers le sud, quittant même le lac de nuit, jusqu'à ce que, un matin froid, il fut complètement déserté. Leurs cris et leurs vols étincelants me manquèrent.

Après trois échecs retentissants, qui me firent gâcher de la poudre et des balles, je réussis à tuer un second daim et je fumai la viande. Je trempai une douzaine de mèches dans la graisse, ainsi que deux douzaines de joncs que j'allais couper le long des étangs. Puis, je me mis en devoir de construire une porte pour la grotte. La fabrication des chandelles était tâche aisée, parce que j'en avais fait souvent chez nous. Mais la porte me causa du souci.

D'abord, l'ouverture de la grotte était irrégulière aussi bien sur les côtés qu'en haut. Avec ma hache, je coupai un cadre puis bouchai les interstices entre le roc et le bois avec de la boue mélangée à de la paille. C'était la partie facile. La difficulté survint lorsque je m'attaquai au battant proprement dit.

Je n'avais pas d'autres outils que la hache et le couteau. Il avait appartenu à mon père et je l'avais sauvé de l'incendie de la ferme. Je n'avais jamais travaillé le bois; or, si j'avais eu des outils adéquats, je crois que j'aurais pu m'en sortir.

Je découpai des planches grossières pour remplir le cadre, mais je n'avais aucun moyen de forer des trous dans les planches horizontales. Alors, je les liai ensemble à l'aide de lanières de cuir. Puis il fallut mettre le battant en place. Ce n'était toujours pas une vraie porte puisqu'elle ne possédait pas de charnières. Finalement, j'abandonnai et la posai simplement debout devant l'ouverture. Elle en couvrait la moitié, c'est tout. Je pouvais m'introduire à l'intérieur mais le froid aussi. Et, deux jours plus tard, un vent violent la fit tomber.

À part la porte, j'étais presque équipée pour affronter l'hiver, même un hiver dur; mais je n'avais rien à quoi m'occuper après le souper. Je n'avais ni lin ni laine ni les moyens de tisser. À la ferme, je restais toujours à travailler tard, bien après que les hommes se furent couchés.

J'envisageai de retourner à Ridgeford afin de me procurer des aiguilles, du fil et du tissu, et de me coudre une robe. Il me restait moins de dix shillings, mais peut-être pourrais-je gagner un peu d'argent à l'auberge.

J'y réfléchis pendant plusieurs jours. Les arbres étaient dénudés, ainsi que la plupart des buissons, ce qui rendait l'expédition plus facile. Pourtant j'avais peur de partir. Les hommes du capitaine Cunningham ne seraient probablement pas au village – quoique ce fût malgré tout possible. En vérité, je n'avais envie de voir personne.

J'avais été si affairée à ramasser du bois et à faire des réserves de nourriture que j'avais négligé la grotte. On aurait dit la tanière d'un ours. Des tas de petites choses crissaient et collaient sous les pieds. Je passai une journée entière à la nettoyer. Je fis un balai avec des joncs et balayai le sol de pierre, puis je le passai à la graisse, ce qui le fit briller à la lueur du feu.

Tandis que je balayais, une chose étrange se produisit. Le balai avait un long manche et j'étais en train de me battre avec la poussière lorsque la chauve-souris blanche se réveilla. La nuit tombait. C'était le moment où elle prenait son envol pour ses tournées nocturnes. Soudain, elle se mit à voleter autour de moi en piaillant.

Je m'émerveillai qu'elle ne se cogne pas dans le balai. Il me vint alors à l'esprit qu'elle *jouait* à s'approcher le plus possible sans le heurter. J'accentuai mon mouvement et levai même le balai au-dessus de ma tête. La chauve-souris continua ses allées et venues. J'agitai le balai de plus en plus vite. La chauve-souris continua à siffler autour de moi.

Épuisée par le jeu, je laissai finalement la petite créature s'envoler. J'avais le sentiment que si les chauves-souris pouvaient rire, celle-ci devait rire à gorge déployée en disparaissant dans le ciel.

Cette nuit-là, je lui donnai un nom. La créature était blanche, ce qui me faisait penser aux anges. Je dressai la liste de tous les anges dont je pouvais me souvenir. Les anges bénis, Raphaël, Samuel, Michel, Uriel, Jophiel, Zadkiel et Gabriel. Les anges autour du trône et ceux qui régnaient sur les Sept Cieux, et ceux des douze mois de l'année, ceux des heures de la journée et de la nuit, tous ceux qui me revenaient à l'esprit.

Me rappelant la large bouche et les longues dents pointues de la petite bête, je pensai aussi à Lucifer, l'ange maudit. Mais finalement, je la nommai d'après l'archange Gabriel. Gabriel de Waccabuc.

26

Le matin du 19 novembre – du moins, d'après mon calendrier –, le vent du nord apporta une couche de neige. Elle ne resta sur le sol que jusqu'à la nuit, mais le vent ne mollit pas et il était accompagné d'un froid perçant.

Le dernier jour de vent, des visiteurs arrivèrent. Un jeune Indien et sa femme, avec un bébé attaché dans son dos et un enfant accroché à sa main. Au début, je la pris aussi pour une Indienne, à cause de ses pommettes hautes et de son teint cuivré. Puis je vis qu'elle avait les yeux bleus et qu'elle n'était qu'à demi indienne. Elle parlait avec un accent mais je la comprenais fort bien.

– Je m'appelle Helen, dit-elle. Et voici mon mari, John Longknife. Ma petite fille s'appelle Bertha. Le bébé n'a pas encore de nom. Nous attendons une meilleure lune pour lui en donner un.

Le jeune homme semblait gêné. Je supposai que cette visite devait être une idée de sa femme. J'ouvris la porte et les invitai à entrer.

Tout le monde s'assit autour du feu. Helen Longknife enleva ses chaussures pour se réchauffer les pieds. Son mari garda les siennes.

– En été, nous venons pêcher dans le lac, dit la jeune femme. L'été dernier, nous avons attrapé plus de cent truites. C'était avant que vous vous installiez ici.

Je lui demandai où ils habitaient.

Elle indiqua le nord.

– Par-delà la colline, à une journée de marche en été, plus longtemps en hiver. Mon grand-père vivait ici, à Waccabuc. C'est le nom indien pour Long Pond. Il y vivait avant que les hommes blancs ne brûlent une centaine de tentes et tuent au moins deux cents Indiens. Il possédait la terre autour du lac, mais il l'a vendue à un homme blanc pour un baril d'eau-de-vie. Le nom de l'homme était Tibbets. Est-ce votre nom, Tibbets ?

– Non, moi c'est Sarah Bishop.

Elle lança un regard à son mari, mais rien ne passa entre eux que je puisse voir. Je me demandai si elle n'allait pas réclamer cette terre, comme l'Indien Wantiticut.

– Vous êtes une de ses petites-filles, peut-être, insista-t-elle.

– Peut-être, répondis-je. Et je leur proposai du thé.

– Bon, dit son mari.

C'était un beau jeune homme, avec des traits bien dessinés et une voix douce.

Je mis de l'eau à chauffer. Je m'interrogeais toujours sur l'objet de leur visite. Si c'était pour réclamer la terre, que pouvais-je faire ? « Je les chasserai avec mon fusil, comme Wantiticut », décidai-je.

Ils s'entretinrent dans leur langue pendant que je préparais le thé. Ils burent le breuvage en faisant la grimace, tout en essayant de ne pas révéler qu'ils n'aimaient pas ça. La femme voulut savoir ce que c'était.

– Des feuilles de Wintergreen.

– On peut faire un autre thé, avec les baies qui poussent par ici. Il y en a près du lac. Je vous aiderai à les cueillir.

Mon cœur, qui battait fort jusque-là, se calma.

Le jeune homme dit :

– Vous avez canoë?
– Non.
– Vous voulez?
– Oui.
– Bien. Nous en ferons un.

Il s'adressa à sa femme en indien et elle me traduisit.

– Mon mari dit qu'il faut du temps pour ramasser l'écorce nécessaire; or, ce n'est pas la saison. Il vous aidera au printemps. Mais il peut vous montrer maintenant comment fabriquer une pirogue. C'est utile lorsqu'on veut pêcher de gros poissons dans le lac.

– Je n'en aurai pas besoin cet hiver, dis-je.

– L'hiver est long, répondit-elle. Je le sais, j'en ai passé un ici. Cela vous occupera les mains de faire une pirogue.

– Allons. Pour la pirogue, dit son mari.

Au-dessus de la grotte poussait un petit groupe de pins. Il choisit le plus gros des arbres et, à nous deux, nous l'abattîmes. Après avoir aiguisé la hache sur une pierre, il découpa dans le tronc un morceau long de douze pieds. C'était beaucoup trop lourd pour le porter, même à trois. Nous le roulâmes donc en bas de la colline et le poussâmes vers la grotte. Cela nous prit toute la journée.

John Longknife creusa une légère cavité le long du tronc et y versa des charbons incandescents.
– Il doit vous apprendre encore beaucoup de choses, dit Helen Longknife. Demain matin, il vous expliquera comment évider le tronc.

Ils avaient apporté de la truite fumée et je fis du gruau et un pot de thé. Nous mangeâmes assis autour du feu, pendant que le tronc se consumait lentement. De temps en temps, John Longknife se levait et, à l'aide de la hache, ouvrait un chemin pour canaliser les braises.

Je voulais qu'ils dorment dans la grotte mais ils se construisirent un abri à l'extérieur. Au matin, après avoir mangé, le jeune Indien m'indiqua comment devait brûler le feu. Il traça une ligne sur le dessus du tronc avec mon couteau et des courbes à chaque extrémité pour marquer la poupe et la proue.

Il parla à sa femme qui me traduisit à nouveau :
– Le feu ne doit pas brûler trop profondément. Il faut l'arrêter lorsque le bois est deux fois épais comme votre main. Puis, on prend la hache pour l'évider encore un peu. Jusqu'à ce que les côtés ne soient pas plus épais que la main, sauf pour le fond, qui

doit être plus épais. Il faut prendre de l'argile mouillée pour guider le feu.

Son mari écarta les mains pour faire voir la profondeur que devait avoir la pirogue.

Puis les Longknife me confièrent leurs enfants et allèrent pêcher dans le lac le reste de la matinée. Ils revinrent avec des douzaines de truites, bien plus grosses que celles que j'attrapais d'habitude dans le ruisseau. Ils allumèrent un feu de chêne contre la grotte pour les fumer, ce qui dura l'après-midi et toute la nuit.

Le lendemain matin, le sol était gelé. John Longknife regarda le ciel gris et dit que l'hiver allait arriver.

– Dans deux jours peut-être, précisa-t-il.

Helen Longknife hocha la tête.

– Mon mari connaît les signes. Avez-vous des chaussures pour l'hiver ?

– Non.

– Vous en aurez besoin pour voyager.

– Je n'ai pas l'intention de voyager.

– Vous pouvez tomber malade. Vous êtes loin du village. Vous êtes seule. Vous aurez besoin de chaussures.

Elle jeta un coup d'œil sur le chapelet de truites fumées. J'eus l'impression que les Longknife avaient l'intention de rester avec moi tout l'hiver.

Helen se leva et alla fouiller dans son

baluchon. Elle en sortit ses bottes de neige et me les tendit.

– Essayez pour voir si elles vont. Si elles ne vont pas, mon mari les arrangera.

Mais le plus beau cadeau vint après celui des bottes de neige.

– Vous avez besoin d'une porte, remarqua Helen Longknife. Lorsque la neige viendra, beaucoup d'animaux de la forêt chercheront de quoi manger. Ils entreront ici pendant que vous dormirez. Les petits animaux comme les renards et les lynx, ça n'a pas d'importance. Mais il y a les loups et les ours. Les ours peuvent être dangereux. Vous avez besoin d'une porte.

John Longknife saisit les planches que j'avais reliées ensemble et qui, à présent, étaient appuyées contre l'ouverture de la grotte. Il les posa sur le sol, puis découpa des charnières dans la peau de daim que j'avais gardée. Avec mon couteau, son couteau de chasse et un outil qu'il avait fabriqué et portait à la ceinture, accroché à un œillet qu'il avait dû trouver quelque part et d'où des clés rouillées pendaient, il perça des trous et fit des chevilles en bois. Il assujettit le cadre que j'avais fait contre le roc et mit des pierres plates en haut, en bas et sur les côtés. Il tailla une barre de chêne qui jouait sur un gros clou en bois et se rabattait sur une sorte de crochet, également en chêne.

Je l'aidai du mieux que je pus. En quatre jours, la porte était terminée. Elle s'ajustait dans le cadre, pivotait librement grâce aux charnières et pouvait être fermée de l'intérieur.

Alors les Longknife dépendirent leurs poissons, firent leurs bagages et partirent.

– Nous aimerions venir l'été prochain pour pêcher, dit Helen Longknife.

– Vous serez les bienvenus, dis-je.

– Et nous vous aiderons à mettre la pirogue à l'eau.

– Merci.

La petite fille s'avança vers moi et mit sa main dans la mienne pendant un moment.

Je regardai la famille descendre la colline. Leur canoë en écorce était sur la berge du lac. Ils me saluèrent de la main et je leur répondis. Je les aimais bien. Ils étaient gentils. Mais dans un sens, je n'étais pas non plus désolée de les voir partir.

C'était surtout parce que je m'étais adaptée confortablement à ma nouvelle vie. J'avais une grotte chauffée pour m'abriter, un ruisseau rempli de petits poissons et un lac grouillant de grosses truites, et du gibier pratiquement à ma porte. La forêt était un réservoir sans fin de glands, de racines, de noix et de baies sauvages.

Non seulement j'étais bien installée mais, à présent, je me surprenais à attendre avec impatience le jour suivant. Je sentais que j'avais un rôle dans ce qu'il pouvait m'apporter. Que chaque nouvelle journée n'était pas quelque chose qui, simplement, arrivait, mais quelque chose que je faisais de mes propres mains, que je façonnais de mes pensées. Je craignais toujours le capitaine Cunningham. Je revoyais souvent son visage rond et ses yeux comme des oignons qui me fixaient. Mais la guerre et ses terreurs avaient commencé à s'éloigner dans mes souvenirs.

27

La neige se mit à tomber au début de décembre, comme John Longknife l'avait prédit, et cela dura trois jours. Lorsqu'elle s'arrêta, la couche devant la grotte m'arrivait à la ceinture. Le ruisseau, bien que gelé en surface, coulait toujours mais le lac était recouvert d'une croûte de glace qui s'épaississait chaque nuit, pour atteindre à la mi-décembre presque un pied.

À ce moment-là, je pouvais marcher sur le lac, chaussée de mes bottes de neige, sans crainte de briser la glace. Je découpai trois trous dans la glace et posai des lignes à chacun d'eux, fabriquées avec de courtes longueurs de nerfs de daim et des hameçons que mes amis m'avaient laissés. Comme appât, j'utilisai de la viande de daim. Dès le premier jour, j'attrapai six grosses truites, deux loups et un brochet, que j'enfouis dans un tas de neige.

Tous les matins, je posais les lignes en les coinçant avec des pierres et le soir, je les relevais. Au bout d'une semaine, j'avais assez de poissons pour un mois.

L'avant-dernier jour où je pêchai, je remarquai des traces le long de la berge, là où le ruisseau sortait du lac entre les deux collines. D'abord, je crus qu'il s'agissait des empreintes d'un ours mais, en les examinant de plus près, je vis que c'était celles d'un homme qui marchait à grands pas et semblait pressé.

Je ne suivis pas les empreintes, car je n'avais aucune raison de le faire. Mais le lendemain matin, j'en découvris de toutes fraîches au même endroit. Je pensai que cette personne devait pêcher sur la berge sud du lac, cachée à la vue par un coude.

C'était une belle journée et le soleil étincelait sur les arbres. Comme je regagnai la grotte, portant mes lignes, les poissons et mon fusil, j'aperçus un éclair de lumière au bord du lac, à quelques pas sur ma droite. J'allai voir, pensant que c'était peut-être un morceau de métal dont j'aurais pu avoir l'usage.

À ma surprise, je découvris un piège, qui brillait d'un éclat neuf dans lequel était pris un rat musqué. Il avait été attrapé par les pattes de devant. Il en avait déjà rongé une et essayait de ronger l'autre. La neige était maculée de sang.

L'animal me montra les dents. Je fis le tour du piège pour me trouver derrière lui. Rapidement, avec un pied et une main, j'ouvris le piège. Le rat musqué essaya de s'enfuir mais tomba sur le flanc.

Il avait une épaisse fourrure brune et soyeuse, mais c'était plutôt une vilaine créature, avec un gros museau et des moustaches, et il dégageait une drôle d'odeur. Il me traversa l'esprit d'achever l'animal d'un coup sur la tête; de toute façon, il allait se vider de son sang. Mais je choisis de l'épargner et partis. Puis je revins sur mes pas. D'une certaine façon, allongé là dans la neige, solitaire et souffrant, il me rappelait tout ce que j'avais ressenti le premier jour de mon arrivée à Long Pond.

J'enlevai mon châle pour protéger mes

mains et ramassai l'animal. Il émit un léger grognement, ouvrit la gueule mais n'essaya pas de me mordre. Je l'emportai dans la grotte et le plaçai près du feu ; j'étais cer-taine qu'il allait mourir avant la nuit tombée.

Le lendemain matin, le rat musqué était encore en vie. Je lui donnai de l'eau qu'il ne but pas. Puis du poisson qu'il ne mangea pas. Je retournai sur l'emplacement du piège. Je n'avais pas remarqué la veille qu'il portait une inscription, gravée au ciseau – quelques lettres formant un nom : GOSHEN. Cela me fit sursauter. Sam Goshen ! Je revis son long nez pourpre tandis qu'il me poussait contre la roue du chariot.

Plus loin, il y avait un deuxième piège. Celui-là était vide. Je le désamorçai. J'en trouvais un troisième avec un raton laveur mort dedans. Je dégageai l'animal. Je trouvai encore deux pièges avec deux castors morts, et dix autres vides. Je les désamorçai tous et rentrai en emportant les deux castors. Je n'avais vu nulle trace de Sam Goshen, mais je respirai vite lorsque je pénétrai dans la grotte.

Le rat musqué était toujours vivant. Il ne voulut ni boire ni manger et passa la soirée à lécher son moignon. Une fois, il tenta de se relever comme s'il voulait s'enfuir, puis se rallongea et s'endormit.

Il était encore plus laid que je ne le pensais. Ses pattes de derrière étaient à moitié palmées et il avait une queue épaisse. Pourtant, si je pouvais l'apprivoiser, il me tiendrait compagnie. Gabriel, la chauve-souris, s'était plongée dans le sommeil dès que la neige avait commencé à tomber. Elle dormait la tête en bas dans un coin reculé de la grotte, sans se soucier de moi ni de notre nouveau locataire.

Cette nuit-là, je me barricadai et gardai le fusil à portée de ma main. Je m'attendais presque à voir apparaître Sam Goshen devant ma porte. S'il était dans les environs, il ne manquerait pas de voir mes traces de pas qu'il suivrait jusqu'à la grotte. Toutefois, j'étais prête à le recevoir.

Je restai éveillée tard, mais il ne se montra pas. Juste avant de me coucher, j'entendis des bruits dehors. Je m'avançai à pas de loup jusqu'à la porte, l'entrouvris et regardai à l'extérieur. C'était un ours qui reniflait le tas de neige où j'avais enfoui mes poissons. Il vint sentir la porte un moment. Puis je l'entendis descendre en trottant la colline, et la croûte de neige gelée craquer sous son poids.

28

Au matin, j'allai jusqu'au lac. En chemin, je relevai des traces le long du ruisseau, à l'endroit où l'ours avait pêché à travers la glace.

Les empreintes coupaient la partie basse du lac et disparaissaient dans les broussailles. Plus que probablement, l'animal avait dû se réfugier dans un trou pour hiberner. Tout en posant mes lignes, je surveillais les alentours. À cause de Sam Goshen aussi, même si j'espérais qu'il était parti poser des pièges ailleurs et qu'il ne reviendrait pas avant plusieurs jours.

Les bottes de neige facilitaient ma progression mais je n'étais pas encore bien habituée et, alors que je traversais la partie basse du lac pour rentrer chez moi, le fusil sur l'épaule, je trébuchai et tombai. Personne, bien sûr, ne m'avait vue tomber mais je regardai autour de moi, embarrassée.

Je cherchai à retrouver ma respiration, lorsque j'entendis un bruit derrière moi, sur le bord du lac, là où les joncs noirs sortaient de la glace. « C'est l'ours, pensai-je, il est revenu et il me suit. »

Je resserrai les lacets de mes bottes et me relevai. J'entendis un autre son. Cette fois, ce n'était pas un animal. C'était un bruit humain, un long gémissement qui me glaça le sang.

Un buisson de lauriers se dressait juste après les joncs. Les gémissements semblaient provenir de cette direction. Je me dirigeai vers eux. Puis, je m'arrêtai.

Un homme était étendu dans la neige. Il levait les bras et fermait les poings. Sa tête était tournée de côté. À l'endroit de sa respiration, la neige avait fondu laissant réapparaître l'herbe.

Je crus que l'homme s'était blessé avec son fusil, mais il n'y avait pas de sang autour de lui. Puis je vis qu'une de ses jambes était prise dans un piège. C'était un gros piège, un piège à ours, qui s'était refermé juste au-dessous du genou.

L'homme dut prendre conscience que je l'observais car il s'arrêta de gémir. Il bougea la tête et regarda dans ma direction. Ses yeux, au début vitreux, se fixèrent sur moi. Il ouvrit les lèvres pour dire quelque chose, mais ne parla pas. Je ne pouvais pas me tromper sur ces yeux – je les avais vus de près – ni sur le gros nez rouge et la bouche aux dents jaunes. C'était Sam Goshen qui gisait là, la jambe coincée dans un piège à ours.

Je ne peux décrire ce que je ressentais. En aucune façon. Je le dévisageai, retenant mon souffle. Je reculai d'un pas et levai mon fusil. Ce faisant, un verset des Proverbes me revint à l'esprit : *Il veut attraper un chien par les oreilles, le passant qui s'excite pour une querelle où il n'a que faire.* Certainement, la querelle ne m'appartenait pas. Ce n'était pas mon affaire si Sam Goshen s'était fait prendre dans un piège à ours. Il allait mourir d'ici peu. Et ce serait la fin de sa carrière.

Je me détournai. Je marchais le long du lac lorsqu'il se mit à crier. Je rebroussai chemin et le contemplai de toute ma hauteur. Il ne montrait à aucun signe qu'il me reconnaissait.

– À l'aide, dit-il.

Les mots ressemblaient à un croassement.

Je ramassai une poignée de neige, la pressai contre sa bouche. Il en voulut encore et je lui en donnai. Il demeura immobile un moment.

– Vous m'entendez? demandai-je.

Il répondit par un gémissement.

– Asseyez-vous. Je vais vous aider.

Le piège était attaché à une lourde chaîne dont l'extrémité était enroulée autour d'un arbre. L'homme s'était débattu pour tenter de se libérer et avait décrit un demi-cercle où la neige avait presque disparu. Je me plaçai de l'autre côté du piège et j'ordonnai à Goshen :

– Vous allez tirer de votre côté et moi du mien.

Il saisit l'une des mâchoires; ses mains étaient couvertes de sang coagulé. J'attrapai l'autre mâchoire. Les dents se seraient emboîtées les unes dans les autres si la jambe de Sam Goshen n'avait pas été prise entre elles.

Je tirai de toutes mes forces. Nous tirions tous les deux, mais moi plus fort que lui si bien que seules les dents de mon côté s'écartaient. Les doigts de Goshen blanchirent. Il lâcha prise, bascula en arrière et resta sans bouger. Je crus qu'il était mort.

Au bout d'un moment, il reprit ses esprits et s'assit. Il tâta sa jambe. Sa guêtre était déchirée et je pouvais voir les dents rouillées à moitié enfouies dans sa chair.

– Elle n'est pas cassée, dit-il. Mais je sens que le poison monte.

– Depuis combien de temps êtes-vous là?

Nous bavardions comme si nous nous étions rencontrés dans la rue.

– Deux heures, peut-être plus. Assez longtemps, en tout cas, pour être empoisonné.

Je pensai à lui demander comment il s'était laissé prendre mais ne le fis pas.

– Essayons encore, dit-il, en poussant un gémissement.

Cette fois, il tira plus fort et nous réussîmes à ouvrir les mâchoires du piège suffisamment pour que je puisse enfoncer la crosse de mon fusil entre elles et dégager sa jambe.

Goshen ne put retenir un cri. Il se leva et voulut faire un pas. Avec un grognement, il s'effondra dans la neige souillée.

Il me jeta un coup d'œil et dit :

– Je vous reconnais. Vous êtes la fille qui s'est fâchée parce que je lui ai dit qu'elle était jolie. Vous campez par ici ? Il faut que je me repose un peu. Mes forces diminuent.

Je ne répondis rien et m'éloignai. Je traversai le lac et étais en train de remonter le ruisseau lorsque je l'entendis crier à nouveau. Cela me rappela que mon fusil était resté dans le piège.

Goshen était à genoux et rampait en suivant mes traces. Je sortis mon fusil du piège. La crosse en beau noyer portait deux sillons causés par les dents d'acier. J'en fus absolument furieuse parce que je prenais grand soin de ce fusil.

– Allez-vous-en ! criai-je. Je ne veux pas de vous ici !

Il était à genoux et me regardait.

– J'essaie, dit-il, mais ma jambe ne fonctionne pas. Ça me fait un mal de chien.
– Vous pouvez aller jusqu'à Ridgeford.
– C'est trop loin, beaucoup trop loin. Je n'y arriverai jamais avec la neige. Je sens le poison qui monte dans ma jambe.

Il chercha à se mettre debout mais retomba. Il ne faisait pas semblant, je le voyais bien. Malgré le froid intense, son visage ruisselait de sueur.

– Vous devez bien avoir une tente quelque part, dis-je.
– Je voyage léger. Je n'ai pas de tente, seulement des couvertures.
– Et où est votre chien? demandai-je, songeant qu'il pouvait arriver par derrière et me mordre.
– Au village. Il m'a esquinté deux magnifiques peaux la dernière fois que je l'ai emmené.

Je ne sais pas comment je réussis à le faire tenir sur ses pieds : il était très maigre, un vrai sac d'os. Je passai un bras autour de lui et lui un bras autour de moi, et nous avançâmes tant bien que mal sur la glace. Il nous fallait nous arrêter toutes les cinq minutes pour nous reposer. En montant la colline, ce fut tous les deux ou trois pas.

Sam Goshen semblait avoir perdu l'esprit.

– Je sens le poison monter, répétait-il. Il est déjà dans mes tripes.

Ou bien :

– Le poison m'aura, c'est sûr.

– Quel poison? Vous n'arrêtez pas de parler de ça.

– La viande empoisonnée, dit-il. J'ai appâté le piège avec de la viande empoisonnée.

« C'est bien fait », pensai-je.

À quelques pas de la grotte, il s'évanouit. Je dus le traîner jusqu'à l'intérieur.

29

Je fis un feu au fond de la grotte, loin du mien, et mis de la neige à chauffer. Comme je n'avais pas de récipient, je faisais chauffer des pierres et les déposais dans une grosse calebasse que j'avais coupée en deux. Puis je déroulai une de mes paillasses près du feu et tirai Goshen jusque-là.

Pendant que je m'activais, il ne cessait de marmonner toutes sortes de choses. Je supposai que la douleur lui avait fait perdre l'esprit.

Je ne savais pas comment soigner une

jambe blessée par un piège à ours, mais je lavai ses plaies. Il revint à lui le temps que je termine, et me dit :

– Vous avez de la graisse d'ours? C'est le mieux pour ce genre de blessure.

– J'ai de la graisse de daim.

– Ce n'est pas si bien que de la graisse d'ours.

Il dit cela comme si c'était de ma faute, comme si je devais aller immédiatement tuer un ours. Je lui apportai la graisse de daim et le laissai l'appliquer lui même. À midi, sa jambe avait doublé de volume. À la nuit tombante, pourtant, il assura qu'il se sentait mieux et qu'il avait faim.

– Je n'ai rien mangé depuis deux jours.

Je lui fis cuire une truite et lui préparai du thé. Il s'endormit en mangeant. Je plaçai le fusil près de moi, la main sur le canon, lorsque je me couchai. Mais je n'avais pas peur. Goshen avait bien trop mal à la jambe pour m'ennuyer.

Au matin, je chauffai de l'eau et l'aidai à baigner sa jambe. Je lui donnai ma dernière réserve de graisse de daim, dont je comptais me servir pour faire des bougies. Il dormit presque toute la journée, se réveillant une fois pour aller, en rampant, dans les buissons et une autre fois, pour s'inquiéter de ce qu'il y avait à souper.

– J'ai une folle envie d'un cuissot de venaison, me dit-il.

La journée était froide, le ciel gris vers le nord sentait la neige. Je sortis et abattis avec la hache un petit bouleau. Installée près du feu, je taillai une béquille. Goshen me regardait de son coin, observant le couteau qui coupait le bois souple.

– Que faites-vous ? interrogea-t-il. Je ne me rappelle pas de votre nom.

– Je fais une béquille, répondis-je, sans préciser mon nom.

– Vous voulez vous débarrasser de moi, je le vois bien.

– Vous pourrez vous déplacer, avec cette béquille.

– Je ne peux aller nulle part dans l'état où je suis. Béquille ou pas. (Il s'assit et tâta sa jambe.) Peut-être que dans une semaine, je pourrai essayer de me lever.

À l'idée de passer toute une semaine dans la grotte avec Sam Goshen, mon estomac se noua. Son fusil était resté près du piège. Je ne savais pas s'il avait un couteau. Le mien, je le cachai. Je me sentais mal à l'aise et emportai mon fusil à chaque pas que je faisais. J'étais terrifiée mais je m'efforçais de me dominer.

Je grillai un morceau de venaison. Il mangea tout et en réclama encore, ce qui me fit penser qu'il allait mieux.

– Ma femme Verna – c'était ma première femme – avait une façon de cuire la venaison qui peut vous intéresser, dit-il. C'est le vinaigre qui fait toute la différence. Non pas que votre souper n'était pas bon mais, étant jeune et débutante, la recette peut vous aider à attraper un mari. Rien de tel qu'un savoureux repas pour adoucir le cœur et les intérieurs d'un homme. Je tiens ça pour une certitude, Miss. Je le ressens à l'instant même.

Il m'adressa un clin d'œil.

À l'aube, j'allai au lac et ramassai le fusil de Goshen. Il était chargé. Je déversai la poudre sur le sol. Puis vidai également sa corne à poudre. Enfin, je cachai son fusil dans l'herbe.

Il neigeait, des flocons duveteux, mais lorsque la nuit arriva, la neige devint plus dure. Au matin, la neige se transforma en glace. Goshen sautilla jusqu'à la porte et sortit appuyé sur la béquille.

– Mauvais, dit-il en rentrant. Ça va tomber toute la journée. Heureusement que nous avons un bon feu et de la nourriture pour nous remplir la panse.

J'avais calculé soigneusement mes réserves pour l'hiver et voilà que je me retrouvais avec une bouche de plus à nourrir.

Quoique malade, il avait un très bon appétit. Une fois guéri, qu'en serait-il?

– Nous n'avons pas beaucoup à manger, dis-je.

– Vous oubliez, Miss, que je suis un chasseur.

Il vint s'allonger près de mon feu et, levant les mains comme s'il tenait un fusil, émit un bruit qui ressemblait à une détonation.

– Je peux tuer un daim avant que vous ayez le temps de battre un cil.

« Oui, un fameux chasseur, pensai-je, qui se fait prendre dans un piège à ours. » Je gardai mes réflexions pour moi, car j'avais terriblement peur de le mettre en colère. Je ne l'avais jamais vu en colère, mais j'étais certaine qu'elle était là, tapie derrière ces yeux qui vous regardaient toujours furtivement, jamais en face.

– Si vous êtes un chasseur, dis-je, vous devez connaître John Longknife?

Goschen réfléchit un moment, penché en avant. Ses cheveux était clairsemés et on apercevait son crâne par endroits. Il y avait trois rangées d'os qui partaient du front jusqu'à la nuque. À la lumière du feu, elles donnaient l'impression de ne pas s'imbriquer correctement.

– Longknife? dit-il. Un type grand, avec une barbe?

– Non, c'est un Indien. Il était ici la semaine dernière avec sa famille.

– Longknife, répéta Goshen. Oui, je me souviens. Un salopard d'Indien. Il est de la tribu des Titicut.

– Il va revenir. Il a dit aujourd'hui. La tempête a dû le retarder.

J'essayai de faire paraître le mensonge naturel.

Goshen se mit debout et plaça la béquille sous son aisselle. Il retourna en clopinant près de son feu et me demanda du bois. Après quoi, il dit :

– Moi et Longknife, on ne s'entend pas bien. Il prétend que je lui dois quelque chose sur deux peaux de castors que je lui ai vendues. Il prétend que j'ai dit qu'elles étaient de première qualité et qu'elles ne l'étaient pas.

Il se tut, mais je voyais bien qu'il réfléchissait. Cela le ferait encore plus réfléchir s'il y avait une chance pour que l'Indien arrive et qu'il le trouve en train de faire du grabuge.

30

Je préparai encore une fois le souper en cuisant deux truites sous la cendre avec des galettes de farine. Pendant que nous mangions, on entendit un grattement et le rat musqué s'aventura hors du trou où il avait élu domicile depuis que je l'avais apporté dans la grotte. Sa patte rongée était presque cicatrisée mais il boitait et penchait d'un côté.

Goshen, qui ne l'avait pas encore vu, s'arrêta de manger.

– Enfer et damnation! s'exclama-t-il. Où avez-vous donc déniché ça?

– Dans l'un de vos pièges.

La lumière du feu brillait sur le manteau luisant de l'animal.

– Belle peau, dit Goshen. Ça vaut de l'argent.

– Il n'est pas à vendre.

Il ne m'écoutait pas.

– Vous pourriez vous acheter une longueur de tissu, poursuivit-il, un ruban pour vos cheveux et un peigne orné de strass.

Le rat musqué rentra dans son trou, effrayé sans doute par le son de sa voix.

Après le souper, je pris la bible et me mis à lire. Goshen me demanda si cela ne m'ennuyait pas de lire plus haut.

– Je n'ai pas entendu le Livre saint depuis que j'étais sur les genoux de ma chère maman.

J'avais choisi les Proverbes. Goshen s'était penché vers moi, la main derrière l'oreille.

– *Pas plus que neige en été ou pluie à la moisson, un honneur n'est désirable pour le sot.*

– Tout à fait sensé, renchérit-il.

– *Le fouet est pour le cheval, la bride pour l'âne et le bâton pour le dos des sots.*

– Bien parlé, dit Goshen. (Il chercha le rat musqué du regard.) Belle peau, vraiment. Je vais m'en attraper quelques-uns quand ma jambe ira mieux.

Visiblement, il ne comprenait pas ce que je lisais ni pourquoi je le lisais. Je décidai d'attaquer une autre partie de la Bible : l'histoire de Yaël. Il attendit avec impatience que je tourne les pages.

– *Alors, devant Baraq, le Seigneur mit en déroute Sisera, tous ses chars et toute son armée.*

– Combien de chars? interrompit Goshen.

– Neuf cents chars de fer.

– Et qui est ce Sisera?

– Le capitaine des armées de Yavîn, roi de Canaan.
– Continuez, Miss.
– *Alors, le Seigneur mit en déroute Sisera, tous ses chars et toute son armée – au tranchant de l'épée. Sisera descendit de son char et s'enfuit à pied...*
Or, Sisera s'enfuyait à pied vers la tente de Yaël, femme de Héber, le Qénite... Et Yaël sortit à la rencontre de Sisera et lui dit : « Arrête-toi, mon seigneur, arrête-toi chez moi, ne crains rien. » Il s'arrêta chez elle, dans sa tente et elle le recouvrit d'une couverture.
– Pourquoi? demanda Goshen.
– Pour le cacher. Du moins, c'est ce que croyait Sisera.
– Certaines femmes sont vraiment rusées.
Je poursuivis :
– *Il lui dit : « Peux-tu me donner à boire un peu d'eau, car j'ai soif? » Elle ouvrit l'outre de lait, le fit boire et le recouvrit. Il lui dit : « Tiens-toi à l'entrée de la tente et si quelqu'un vient, t'interroge et dit : Y a-t-il quelqu'un ici? Tu diras : Non. »*
– J'écoute, dit Sam Goshen.
– *Mais Yaël, femme de Héber, prit un piquet de la tente, saisit dans sa main le marteau, entra auprès de lui doucement et lui enfonça dans la tempe le piquet qui alla*

se planter dans la terre. Sisera qui, épuisé, était profondément endormi, mourut.

Je cessai ma lecture. Goshen attendait la suite, la bouche ouverte. Je refermai le livre.

– C'est tout ? dit-il. Elle l'a tué?

– Oui.

– Avec un piquet de tente?

– Avec un piquet enfoncé dans sa tempe.

Sam Goshen me scruta à travers le feu de ses petits yeux cruels. Il porta sa main à sa tempe.

– Un piquet! Ça doit faire mal. Impossible de dire de quoi les femmes sont capables quand elles sont en colère.

– Impossible, répétai-je.

Il se mit à rire et se lança dans une histoire interminable à propos d'une de ses femmes qui, furieuse, l'avait frappé avec une bûche de sycomore. Je pensais quand même qu'il avait compris pourquoi je lui avais lu cette histoire de Yaël et de Sisera. Que cela eût porté, je ne saurais le dire. Il était possible, au contraire, que cette histoire lui eût donné envie de me malmener.

Il n'aperçut la chauve-souris blanche que bien des jours plus tard, alors qu'elle était suspendue au-dessus de sa tête depuis qu'il était entré dans la grotte. Il mangeait un bol de gruau, un matin, lorsqu'il leva les yeux et la vit. Il sursauta et en oublia qu'il avait une jambe mal en point. Il se mit sur ses pieds et attrapa sa béquille.

– Ça porte malheur! cria-t-il. Une blanche, en plus! Ce sont les pires.

Il brandit la béquille et tenta de déloger la créature. Avant qu'il ne puisse l'atteindre, j'attrapai la béquille et la jetai dans le feu sans un mot.

Il sortit la béquille du feu et l'essuya contre sa manche.

– Vous croyez que je n'en ai plus besoin. C'est presque vrai. Pas dans la grotte. Mais, dehors, c'est différent.

Il enfila son manteau et son chapeau à oreillettes, ouvrit la porte et lança un coup d'œil au-dehors.

– On dirait que c'est une bonne journée pour la chasse, remarqua-t-il. Je crois que je vais aller chasser le daim. Ça ne fait rien si je prend votre brown bess?

Je tenais le fusil. Je le gardais toujours à portée, maintenant.

– Vous avez un fusil, dis-je.

M. Goshen sourit en montrant ses dents jaunes.

– C'est vrai, c'est vrai. Mais j'ai complètement oublié ce que j'en ai fait. Avec la fièvre et tout ça, un homme perd la mémoire.

– Votre fusil se trouve près de la berge. À côté du piège à ours.

Il cala la béquille sous son aisselle et appuya de tout son poids dessus. Il fit quelques allées et venues en boitillant, l'air de souffrir.

– Ça fait toujours mal, dit-il. Mais que je meure si je ne vous rapporte pas un daim.

J'ouvris la porte et le regardai partir. C'était une belle journée. Le soleil étincelait sur les bancs de neige et les amas bleutés près du lac. Il était à mi-pente lorsqu'il disparut derrière un gros buisson de lauriers.

Au bout d'un moment, je l'aperçus de l'autre côté du lac. Il avait laissé tomber sa béquille et trottait prestement le long de la berge. Puis il disparut encore une fois.

Je pris le rat musqué et le mis dehors, au soleil, pour qu'il s'en aille. Ou plutôt, je lui donnai une petite poussée en faisant du bruit pour l'encourager. Mais après quelques pas, il se retourna et revint à la porte où il se chauffa au soleil jusqu'à ce que je le fasse rentrer.

La nuit était presque tombée lorsque je vis Sam Goshen remonter la colline. Il avait récupéré la béquille et marchait avec précaution entre les rochers.

Je fermai la porte et plaçai la barre. J'attendis qu'il frappe. Lorsqu'il le fit, je ne répondis pas.

– J'ai vu des daims, cria-t-il derrière la porte. Sept gros daims qui se promenaient, jolis comme tout. Mais quelqu'un a pris ma corne à poudre. Et je n'ai pas pu trouver mon fusil. C'est peut-être l'œuvre de ce bon à rien de Longknife. (Il s'interrompit et j'entendis sa lourde respiration.) Bien sûr, c'est peut-être aussi quelqu'un d'autre.

Je demeurai silencieuse.

– Mais qui pourrait faire une chose pareille ?

Il parlait d'un ton pitoyable, pourtant je sentais bien qu'il était furieux. J'imaginais son visage rouge et laid.

– Je ne vois pas qui pourrait se comporter de cette façon. (Il s'éclaircit la gorge et cracha.) Ce ne serait pas vous qui auriez fait ça, Miss ?

– Si, c'est moi, répondis-je. Et si vous ne me laissez pas tranquille, je vais faire encore pire. Bien pire. Je vais tirer à travers cette porte et peut-être vous tuer.

Il n'y eut aucun bruit pendant un moment. Je crus qu'il s'était assis et qu'il attendait que je sorte. Puis, il y eut un flot de jurons. Après cela, des pas descendirent la colline à toute vitesse. Je restai éveillée toute la nuit, pensant qu'il pouvait revenir. Je distinguais chaque bruit – le hurlement des loups sur la colline plus loin, le craquement du lac sous la glace, le vent dans les arbres dénudés, le cri d'un lynx et, au lointain, le hululement d'un hibou.

Mais aucun pas humain. L'aube se leva avant que je m'endorme.

Je dormis toute la journée, aussi retranchée du monde que Gabriel, la chauve-souris. Lorsque j'ouvris les yeux, je l'observai. Elle était toujours la tête en bas, enveloppée dans ses ailes de soie. Je refermai les yeux, en songeant combien ce serait simple si, quand les choses allaient mal, les êtres humains pouvaient agir de même.

Je me réveillai vers minuit. Le feu était éteint et je dus le rallumer en gaspillant de la poudre, alors que j'en avais si peu. (Chez nous, lorsque le feu s'éteignait, on pouvait toujours aller chez le voisin chercher des braises.) Mais c'était merveilleux de ne plus voir Sam Goshen allongé dans le coin. Je n'avais pas réalisé à quel point j'avais eu peur tant qu'il était là.

J'ouvris la porte et regardai dehors. Quelques étoiles brillaient au loin, vers le sud. Mais au nord, le ciel était noir et le vent du nord soufflait fort.

31

Ce soir-là, je travaillais sur la pirogue. J'avais évidé une bonne partie du tronc avec le feu et, à présent, il me fallait employer la hache. Le tronc commençait à prendre forme. En tout cas, la forme que Longknife m'avait décrite.

Quand j'avais lu la Bible à Sam Goshen, c'était la seconde fois seulement que j'ouvrais le Livre saint depuis la mort de mon père. Je le ressortis et le feuilletai, lisant ce qui me tombait sous la main. D'abord, ce fut les Juges. Puis les Chroniques. Puis Daniel et Osée. En dernier, le livre d'Esther.

Après cette période, le roi organisa un banquet de sept jours pour tous les gens qui se trouvaient à Suse... De la dentelle, de la mousseline, de la pourpre étaient attachées par des cordelières de lin et d'écarlate à des anneaux d'argent et des colonnes d'albâtre. Il y avait des divans d'or et d'argent sur un pavement de jade, d'albâtre, de nacre et de jais.

Lorsque j'étais enfant, mon père me lisait souvent l'histoire d'Esther. Lui si frugal (parce que nous étions pauvres mais aussi de par son propre penchant), aimait ces mots et les scènes qu'ils dépeignaient. Moi aussi, je les aimais. Je lui demandais de me lire et de relire l'histoire du roi Assuérus, qui régnait sur cent vingt-sept provinces, depuis l'Inde jusqu'à l'Éthiopie et qui donna un grand banquet pour tous ses serviteurs et les nobles et les princes de Perse et de Médie dans son merveilleux palais de Suse.

Assise près du feu, je lus à haute voix pour moi seule. Les mots résonnaient étrangement entre les parois rocheuses de la grotte, accompagnés par le sifflement du vent. Ce n'était pas les sons chaleureux et excitants dont je me souvenais.

Le vent du nord souffla toute la nuit et, à l'aube, il se mit à neiger. La neige tomba pendant cinq jours sans discontinuer. Lorsque j'ouvris la porte, un mur de neige s'entassait à hauteur d'épaule et je dus creuser un chemin. Tout était blanc aussi loin que l'œil portait. Le long de l'escarpement, au-dessus de la grotte, les pins avaient de grandes chandelles blanches.

Un troupeau de daims arriva au bord du chemin que j'avais tracé. Je crois que c'était ceux que j'avais chassés de la grotte. Leurs yeux étaient à moitié clos par la glace et ils avaient froid et faim.

Je continuai à dégager la neige là où elle était moins épaisse, sous les arbres, afin que les daims puissent manger l'herbe sèche. Cela me prit trois jours, en travaillant par demi-journée. Tandis que j'écartais la neige, les daims me suivaient et broutaient derrière moi.

Le vent se remit à souffler, cette fois de l'est. Le trou dans la voûte était recouvert de branchages, mais le vent trouva moyen de se faufiler. Il éparpilla les cendres partout. La grotte était glacée. Je m'emmitouflai dans le matelas et m'installai tout près du feu. Assise là, je pensais à la taverne de Ridgeford et comme il devait faire bon dans la cuisine et comme le pain fait avec de la vraie farine devait être merveilleux.

Le vent d'est dura deux jours. Il cessa dans la nuit. Le soleil apparut de toute sa force dans un ciel bleu étincelant.

Je n'avais plus de thé ni de sucre. Sam Goshen en était responsable. Je n'avais plus ni poudre ni balles et j'avais besoin d'une autre couverture. J'étais en grand besoin de tout mais je ne voulais pas entreprendre le long voyage jusqu'à Ridgeford. Non parce qu'il me fallait trois jours pour aller et revenir dans cette neige épaisse, mais parce que je vivais toujours dans la peur des Anglais. Ils s'étaient emparés de la ville de White Plains quelques jours après que j'eus quitté la Flèche d'Or. En tout cas, c'était ce que m'avait raconté Goshen. Peut-être qu'à présent, ils avaient marché vers le nord et occupaient toute la région. Le passeur m'avait dit qu'ils ne prendraient pas la peine de courir après moi, mais je ne l'avais pas cru. Je ne le croyais toujours pas.

Je réfléchis pendant une journée. Puis je décidai de risquer le tout pour le tout. Grâce à mes bottes de neige, je pus traverser le lac gelé à l'aube et m'enfonçai dans la forêt. La piste que j'avais suivie avant était recouverte par la neige.

Arrivée à Ridgeford, je fis le tour du village en me cachant derrière les arbres et cherchai d'éventuelles traces des hommes du roi. Je ne vis rien de suspect. Le village avait l'air d'être exactement le même que lorsque je l'avais quitté, sauf qu'il y avait moins de charrettes dans la rue.

Je me rendis à la taverne. À la porte de la cuisine, j'interrogeai un garçon qui sortait avec un plateau chargé. J'appris qu'il n'y avait pas d'hommes du roi à l'intérieur mais nombre de leurs sympathisants, à présent qu'ils étaient en train de gagner la guerre.

Je me glissai par une porte latérale dans

le salon des dames. Juste devant, il y avait un tableau où l'on accrochait les avis de recherche. Un client était en train d'en lire un qui semblait tout récent. J'attendis qu'il s'en aille.

Il y avait cinq feuilles sur le tableau. Deux à propos d'un déserteur du navire de Sa Majesté, le *Rainbow*. Deux autres concernant des esclaves en fuite d'une plantation de Virginie. La dernière parlait d'un malandrin qui s'était échappé de la prison de Hartford.

Je lus les avis deux fois. Mon nom n'y figurait pas. Je me sentis mieux. J'étais presque calme. Munie de ma dernière pièce de monnaie, j'allai à la cuisine et conclus un marché avec la cuisinière pour qu'elle me laisse dormir près du four. Je n'avais pas envie de dormir à l'étage, même si mon nom n'apparaissait pas sur le tableau.

32

Lorsque j'eus montré à Mme Thorpe, la cuisinière, que je savais faire du bon pain, elle m'engagea pour l'aider. Quelquefois, je devais porter les plateaux dans la salle et je me dépêchais toujours d'aller et venir sans regarder ni parler à personne.

Je travaillai six jours. Avec les shillings que j'avais gagnés, je traversai la rue et entrai chez Morton & Fils. Cette fois, ce fut le jeune M. Morton qui me servit. Je croyais qu'il allait me reconnaître, mais il n'en montra rien et fit comme s'il ne m'avait jamais observée derrière une pile de caisses.

J'achetai de la poudre à fusil et des balles, une jarre de mélasse, du sel et un gros paquet de thé. J'aurais bien acheté plus de choses mais je manquais d'argent. Lorsque je demandai du thé, le jeune M. Morton en sortit trois boîtes.

– Nous venons de recevoir un arrivage de New York aujourd'hui, dit-il. C'est le premier depuis longtemps. Maintenant que les Anglais sont en train de gagner la guerre, nous aurons du thé régulièrement. Lequel veux-tu? Nous avons ces trois marques, toutes de Ceylan.

Je choisis la moins chère. Il l'enveloppa et prit mon argent, puis il m'accompagna jusqu'à la porte. Il tendit la main pour me dire au revoir. Elle était pâle comme son visage. Il avait les yeux bleus et des cheveux raides couleur de paille, qu'il portait attachés par un nœud. J'étais toujours convaincue qu'il ne m'avait pas reconnue.

– Quel est ton nom, ma sœur? demanda-t-il.

Je faillis répondre « Sarah Bishop » mais me retins à temps.

– Travers, Amy Travers. (Amy était ma cousine de Midhurst, en Angleterre.)

– Joli nom, dit-il. Tu es venue ici à la fin de l'année dernière. Tu as acheté une hache, de la poudre et des balles, de la farine et du sel. Tu voulais trois ou quatre couvertures mais tu n'avais d'argent que pour deux.

– Vous avez bonne mémoire. Mais vous avez oublié que j'ai acheté aussi de la mélasse.

M. Morton sourit un peu. Et reprit aussitôt son sérieux :

– Tu penses peut-être que je suis impoli. Pourtant, ce n'est pas le cas. Il y avait un avis à la taverne, avant Noël. Il était signé par le capitaine Cunningham et offrait une récompense pour la capture d'une jeune fille du nom de Sarah Bishop, accusée d'avoir mis le feu à New York. Il donnait également la description de la jeune fille. Selon mes souvenirs, il était dit qu'elle était grande, mince, avec des yeux bleus et des taches de rousseur.

M. Morton me regarda comme s'il était sûr que j'étais Sarah Bishop. Comme si la seule chose qu'il avait à faire était de m'emmener tout droit chez le constable* pour recueillir la récompense offerte par le capitaine Cunningham. Je songeai aussitôt à m'enfuir mais il bloquait la porte.

– Je ne sais pas si tu es ou non cette Sarah Bishop, mais je suis certain que si ce n'est pas toi, alors, tu dois avoir une sœur qui s'appelle Sarah Bishop.

Il m'octroya un sourire supérieur, comme s'il avait fait un bon mot.

– Ceci est de peu d'importance, poursuivit-il. Ce que je voulais dire, c'est que je me rappelais ta première visite au magasin. Et, étant fort troublé par le fait que tu étais la Sarah Bishop responsable de l'incendie, je suis allé à la taverne le jour suivant, j'ai enlevé l'avis et je l'ai détruit.

Je réussis à balbutier :

– Merci. C'est gentil.

* Agent de police.

Il considéra le fusil que je tenais sous mon bras.

– Pourquoi te promènes-tu avec cette arme ?

Je ne répondis pas.

Il ouvrit la porte. L'air froid s'engouffra et il la referma aussitôt en y appuyant son dos.

– C'est mon père qui t'a servie la première fois. Je t'ai entendu lui dire que tu n'allais pas t'installer dans la région et que tu allais vers le nord.

– Oui, quelque chose dans ce genre.

Il m'observait avec attention, mais sans hostilité.

– Je crois que tu n'es jamais partie.

Qu'est-ce que ça peut vous faire ! eus-je envie de lui répondre. Mais je me contentai de m'avancer vers la porte. « Comment savez-vous que je ne suis pas allée vers le nord ? » pensai-je.

– Sam Goshen est venu ici il y a une semaine pour vendre des fourrures, continua M. Morton. Il nous a raconté qu'une jeune fille vivait près de Long Pond et a donné une description. Je crois que tu es la fille dont il a parlé.

Toute cette histoire me mettait mal à l'aise.

– J'ai du chemin à faire, dis-je. Il vaut mieux que je m'en aille.

Le jeune M. Morton leva la main pour me retenir.

– Mon arrière-grand-père a été banni de la colonie du Massachusetts parce qu'il avait enfreint la loi en apparaissant dans la rue sans fusil. Mais à présent il n'existe pas de loi exigeant que tu en portes un. De quoi as-tu peur ?

– De la plupart des choses, et de tous les gens.

– La peur encourage le mal. La peur provoque la haine.

– Vous parlez comme un quaker*.

– Je suis un quaker.

M. Morton était vêtu d'une veste marron foncé et d'une culotte unie qui s'arrêtait aux genoux. Il portait un chapeau noir à large bord qui se relevait sur les côtés, avec des oreillettes. Il avait l'air d'un quaker. Mon père n'avait jamais aimé les quakers, avec leurs habits sombres et leur *tu* biblique. Il avait en horreur leur silence et leur allure fière.

– Est-ce pour cette raison que vous n'êtes pas à la guerre ? lui demandai-je, songeant à Chad. Parce que vous êtes un quaker ?

– Oui, c'est pour cette raison.

* Membre d'une secte protestante, la Société des Amis. Prêchant le pacifisme, la philanthropie et la simplicité des mœurs.

Il ouvrit la porte. La neige commençait à tomber du ciel gris.

– Il serait préférable de ne pas partir maintenant, dit-il. Ma mère peut t'offrir le gîte pour la nuit.

Je rassemblai mes achats.

– Nous tenons des réunions, poursuivit-il. J'aimerais que tu nous rendes visite lorsque les choses seront plus calmes. Nous nous réunissons tous les quatrièmes dimanches du mois. Tu serais la bienvenue.

– Peut-être, répondis-je, tout en sachant que je n'irais jamais à une réunion de quakers. Mon père, dans sa tombe, en ouvrirait les yeux pour me contempler avec consternation.

M. Morton regarda la neige puis referma la porte et une fois de plus, s'adossa au battant comme pour me barrer le chemin.

– À la réflexion, il me semble stupide de ta part de partir dans cette tempête, même si les Anglais ne sont pas loin, dit-il. Je peux te cacher. Ce n'est pas la première fois que je cache des persécutés.

– Merci infiniment mais je dois m'en aller.

M. Morton ôta son chapeau noir à oreillettes qui ressemblaient à des ailes de goéland fatigué. Puis il le remit plus droit. C'était une autre habitude que mon père n'aimait pas, cette histoire de porter un chapeau tout le temps, même à l'intérieur des maisons.

Soudain, il demanda :

– Est-ce que tu vis seule?

– Oui.

– Il n'est pas bon pour une jeune fille de vivre de cette manière. Est-ce parce que les Anglais te cherchent?

– En partie.

– Et quoi d'autre?

– Parce que j'aime ça.

M. Morton parut interloqué.

– Tu n'as donc pas de famille?

– Non. Ils sont tous morts.

– Tu es orpheline alors?

Ayant déjà répondu à sa question, je restai bouche close.

Il fixa le plafond. Peut-être contemplait-il le ciel?

– Lorsque les Anglais partiront, dit-il, comme ils le feront, il faut que tu viennes à Ridgeford. Je trouverai pour toi un logement correct et du travail. Tu ne peux vivre seule dans cette région sauvage. Et si tu te blessais? Et si tu te sentais mal ou attrapais une maladie? Qui le saurait? Qui pourrait t'aider? Qui pourrait s'occuper de toi?

– Personne, je me débrouille très bien toute seule.

Je le remerciai pour son amabilité et sortis. Après avoir traversé la rue, je me retournai. Il était toujours à la porte, m'observant à travers les flocons de neige.

33

Je rentrai à la taverne pour m'abriter jusqu'à ce que la neige cesse. Mais peu après moi, cinq dragons du roi pénétrèrent dans la cour où ils attachèrent leurs chevaux. Il ne neigeait plus et je vis les hommes par la fenêtre de la cuisine. Mme Thorpe voulait que je leur porte à manger, mais je me sauvai pendant leur repas.

Lorsque j'étais venue à Ridgeford, j'avais marqué mon chemin en entaillant certains arbres sur mon passage, assez haut pour que la neige ne cache pas les encoches et assez proches les unes des autres pour que je ne me perde pas. Je n'eus aucune difficulté à repérer les marques. Mais j'étais presque gelée lorsque je parvins à la grotte. Je pris de la poudre pour allumer le feu et restai assise à côté pendant des heures, jusqu'à ce que je sois complètement réchauffée.

Quelques mois plus tôt, lorsque j'avais entendu l'ours renifler aux alentours, je ne me doutais pas qu'il avait creusé le tas de neige où j'avais caché mes poissons. J'en fis la découverte lorsque je voulus aller en prendre pour mon souper. Il n'y avait plus rien.

Je découpai des trous dans la glace, posai trois lignes et attrapai quelques truites et des loups. Cette fois, je les fumai, comme l'avaient fait les Longknife, au-dessus d'un feu de branches de noyer, très lentement. J'en gardai quelques-uns pour le rat musqué qui aimait la truite fraîche, même s'il ne la mangeait que gelée. Je n'avais pas besoin de me préoccuper de Gabriel. Elle était toujours la tête en bas, endormie paisiblement dans son coin sombre.

Les premiers signes du printemps apparurent dans la nuit; le lac gémit et craqua, la glace se déchira en blocs que les vents légers poussaient ici et là. Puis les érables furent les premiers à montrer leurs jeunes feuilles, rougeoyantes sous le soleil. Ensuite, ce fut le tour des feuilles roses des chênes. Des cornouillers fleurissaient partout et, le long du ruisseau, de gros buissons d'airelles bourgeonnaient.

Des hérons cendrés pêchaient dans les eaux peu profondes et une nuée de faucons bruns afflua de l'ouest, volant bas sur le lac, pour s'évanouir silencieusement. Des oies vinrent du nord par douzaines en formations triangulaires argentées. Gabriel reprit ses sorties nocturnes.

Le rat musqué devint agité. Il se promenait dans la grotte en émettant de curieux bruits. Mais si je le mettais dehors, il rentrait peu après en boitant, d'un air blessé comme si j'avais voulu me débarrasser de lui. Finalement je l'emportai jusqu'au lac et le poussai à l'eau. Il regagna la berge et revint dans la grotte. Je l'emportai à nouveau jusqu'au lac. Cette fois, il se tourna sur le dos, me lança un regard de côté et disparut d'un coup de queue, ne laissant derrière lui qu'une forte odeur de musc et un sillage de bulles argentées.

Mes sentiments étaient mitigés lorsque je le vis s'éloigner. Malgré tout, je me sentais abandonnée. Je le revis quelques jours plus tard, alors que je pêchais sur la berge. Il nagea vers moi, sa tête seule visible, escorté d'un autre rat musqué. Les deux animaux s'amusèrent un moment, faisant fuir le poisson. Je les aperçus une autre fois au cours du printemps. Cette fois, ils étaient suivis par deux jeunes à la fourrure lustrée.

Gabriel resta fidèlement à mes côtés. Elle partait se promener la nuit et revenait promptement à l'aube. De temps en temps, dans la journée, elle poussait de petits cris timides. Parfois, avant qu'elle ne sortît au crépuscule, je jouais avec elle au balai. Elle était beaucoup plus humaine que notre voisin le rat musqué.

Les Longknife arrivèrent début juin. Leur bébé était mort pendant l'hiver mais la petite fille était en bonne santé et avait beaucoup grandi. Ils m'annoncèrent que les Anglais tenaient toujours New York, ce qui voulait dire que le capitaine Cunningham étais assis derrière son bureau dans le grand bâtiment gris.

Nous poussâmes la pirogue le long de la pente herbeuse pour la mettre à l'eau. À ma grande surprise – et je crois à celle des Longknife – elle ne sombra ni ne se retourna mais flotta sur une coque bien équilibrée. John Longknife me promit de m'aider à faire un canoë en écorce un jour.

– Ce sera beaucoup plus léger que la pirogue, expliqua sa femme. Un canoë, on peut le porter sur son dos et voyager de lac en lac et de ruisseau en ruisseau.

La pirogue me suffit, aurais-je voulu dire. Mais je ne le fis pas parce que cela aurait pu paraître impoli.

Les Longknife pêchèrent pendant cinq jours et je les accompagnai. Nous fumâmes nos truites ensemble, en quantité suffisante pour le prochain hiver, auquel nous pensions déjà. Nous allâmes aussi chasser : des oies pour la graisse – en utilisant des pièges en roseaux afin d'économiser la poudre – et des daims, dont la viande fut fumée.

Un soir, alors que nous remontions du lac, nous remarquâmes des empreintes à côté du ruisseau, à l'endroit où l'ours était venu pêcher autrefois. C'était le même animal qui avait volé mes poissons cachés dans la neige, à en juger par la façon dont l'une de ses pattes portait vers l'extérieur. Ce n'était pas le poisson volé qui m'inquiétait mais l'idée de me retrouver seule, un jour, face à lui.

– Et si nous le traquions? dis-je, d'un ton brave, plus brave que je ne l'étais.

John Longknife secoua la tête.

– Une balle, pas bon. Deux balles, pas bon. Peut-être trois balles pour tuer.

Il se tourna vers sa femme et lui parla dans leur langue.

– Mon mari dit que l'ours est rapide, expliqua-t-elle. Et qu'on ne peut le tuer qu'à un seul endroit de son corps. Si on rate cet endroit, on n'a pas le temps de recharger son fusil. Il bondira sur vous et vous déchirera.

J'abandonnai donc l'idée d'abattre l'ours à la patte en biais, l'ours voleur de poissons.

Les Indiens restèrent presque toute la semaine. Helen me montra comment faire du thé avec des feuilles et de l'écorce de bouleau. Elle me montra également un arbre creux, sur la berge, près du gros rocher qui ressemblait à un château, où habitaient deux essaims d'abeilles.

– Dans un mois, vous pourrez aller leur en voler, me dit-elle. Mais ne prenez pas tout le miel. Prenez-en la moitié. Les abeilles ont besoin du reste pour manger l'hiver.

Puisque les Longknife devaient se rendre à Ridgeford afin de s'approvisionner, je leur demandai s'ils pouvaient emporter un cuissot de daim et le remettre au jeune M. Morton. Chaque fois que je pensais à lui, j'étais toujours désolée de sa maigreur presque décharnée. On aurait dit qu'il avait besoin d'un bon repas, comme ceux que je préparais à la maison lorsque nous étions tous ensemble.

Les Longknife se regardèrent et sourirent lorsque je mentionnai son nom, ce qui m'embarrassa. Je racontai que j'avais rencontré M. Morton deux fois seulement, mais que je lui trouvais un air maladif.

– Son père possède un magasin rempli de

victuailles, dis-je, et pourtant, lui semble avoir toujours faim, comme s'il ne mangeait jamais.

– Il mange, déclara Helen Longknife, mais il y a un feu à l'intérieur de lui.

– Beaucoup d'ennuis, cet homme, ajouta John Longknife.

– On l'a mis en prison, reprit Helen. À cause de la guerre. Il ne voulait pas y aller. Alors, on l'a mis en prison. Puis il s'est disputé avec son père. Son père possède deux esclaves noires et ne veut pas les émanciper. Ils se sont disputés et Isaac Morton est encore allé en prison.

– Beaucoup de prison, dit John. Tout le temps en prison.

Je ne fus pas surprise d'apprendre qu'Isaac Morton passait le plus clair de son temps en prison. Ni qu'un feu intérieur le dévorait. J'avais vu tout cela dans ses yeux pendant qu'il me parlait.

Helen demanda :

– Dois-je transmettre un message à M. Morton ?

– Non, répondis-je.

Puis, changeant d'avis :

– Dites-lui qu'il est trop maigre. Qu'il faut manger plus.

Helen sembla déçue.

– C'est tout ?

« Même cela, c'est déjà trop, pensai-je. Pourquoi me préoccuperais-je de sa maigreur ? Pourquoi devrais-je lui prodiguer des conseils ? »

– Ne dites rien. Donnez-lui simplement la venaison. Il saura qu'en faire.

Les Longknife partirent sous l'orage, alourdis par les fourrures qu'ils avaient amassées pendant l'hiver. Ils avaient l'intention de repasser par là. Aussi cachèrent-ils le poisson qu'ils avaient fumé.

Lorsqu'ils atteignirent l'autre côté du lac et le gros rocher, ils s'arrêtèrent pour me saluer. J'avais la gorge serrée en leur rendant leur salut. Je fus surprise de déplorer leur départ.

34

Deux jours plus tard, j'eus envie d'aller explorer le gros rocher d'où m'avaient saluée les Longknife, le rocher qui ressemblait à un château anglais. Tôt le matin, j'arrivai en pirogue à la base des parois élevées, tirai l'embarcation sur la berge et grimpai à travers les épais buissons jusqu'au sommet.

Tout en bas, le lac étincelait sous le soleil matinal. L'eau dispensait toutes les nuances de bleu mais était noire en profondeur. J'avais l'impression d'être sur le rempart d'un château en Angleterre, un rempart surplombant l'étang sombre. J'aperçus une ombre sur les eaux. C'était la mienne. Elle me salua.

Je fis un petit pas en avant et attrapai une branche pour garder mon équilibre. À cet instant, je ressentis une piqûre aiguë à la main. Je pensai aussitôt à un frelon. Il y en avait des multitudes. Mais je vis deux yeux qui me fixaient de derrière une saillie. Ils étaient foncés avec des fentes jaunes, sur une tête aplatie. Une langue noire s'avança vers moi. J'aperçus alors des anneaux brun rougeâtre. C'était un mocassin.

J'avais déjà vu des serpents de ce genre sur notre ferme au début mai, lorsqu'ils sortaient de leur sommeil hivernal. J'en avais observé deux alors qu'ils se livraient à une sorte de danse. Père avait dit que c'était des mâles. Ils se dressaient aussi haut qu'ils le pouvaient et se poussaient jusqu'à ce que l'un d'eux tombe.

Je savais que le mocassin était venimeux... parce que l'un de nos voisins avait été mordu et en était mort.

Ma main portait la trace des crocs. Elle était engourdie tandis que je descendais à travers les buissons pour rejoindre la pirogue, mais je n'avais pas mal. Je n'eus aucune difficulté pour me servir de la pagaie et je pensais que, peut-être, il ne s'agissait pas d'un mocassin. Puis ma main se mit à enfler et mes lèvres à picoter. Après, j'eus mal au ventre.

Je montai jusqu'à la grotte et m'allongeai sur le seuil. Ma main gauche avait doublé de volume. Autour des deux trous la peau était boursouflée et bleuâtre. Me rappelant ce que m'avait dit mon père un jour, je pris mon couteau et fis une croix à l'endroit des morsures. Puis je suçai le sang.

Toute ma main était gonflée à présent. Elle était bleue et noire, avec des traînées jaunes le long de mon bras. Je criai de toutes mes forces mais personne ne répondit. Un vol d'oies sauvages tournoyait au-dessus du lac en s'appelant. Un geai à crête me regardait en silence perché sur un pin. Je criai encore. Aucune réponse ne me parvint.

Je me mis debout. Ma seule pensée était de me rendre à Ridgeford. Je descendis la colline jusqu'au lac et réussis à grimper dans la pirogue. Je saisis la légère pagaie en écorce. Elle me parut lourde comme du métal. Elle tomba à l'eau et partit à la dérive. J'essayai de la rattraper mais elle s'éloigna de plus en plus vite. On aurait dit une plume qui voletait dans le vent.

Soudain, le soleil se cacha derrière un nuage, ou du moins me sembla-t-il.

Lorsqu'il réapparut, j'étais allongée au fond de l'embarcation. Elle avait flotté à travers le lac et avait buté dans les roseaux. Combien de temps s'était-il écoulé? Un jour? Deux jours?

La pagaie était à côté de moi. Je ne me souvenais pas de l'avoir retirée de l'eau. Ma main était aussi grosse que mon bras mais en l'examinant, je songeai : « Je ne suis pas morte. Je vais peut-être mourir mais je suis encore en vie. »

Je m'agenouillai et puisai de l'eau dans ma main. Je bus et cela me rendit malade. Pourtant, je me sentais plus forte. Je réussis à diriger la pirogue au milieu des roseaux jusqu'à la partie supérieure du lac. Là, je touchai terre, m'étendis sur le sol et dormis jusqu'au lever de la lune.

À la lueur du clair de lune, je repérai le chemin de la grotte. Le feu s'était éteint mais il restait deux morceaux de venaison de mon dernier repas, qui datait de je ne savais plus quand. Je les mangeai et me rendormis. Je dormis jusqu'au matin. Je me réveillai assoiffée. Il me fallut longtemps pour redescendre jusqu'au lac.

Je m'installai dans la pirogue et dormis encore. Je fus réveillée par une bande d'oies sauvages qui battaient des ailes et piaillaient comme si on les avait dérangées. Je pensai que peut-être les Longknife étaient revenus. J'attendis toute la matinée. Mais ils ne vinrent pas.

C'était le premier jour où je me sentais assez forte pour tenter le long voyage jusqu'à Ridgeford. Mais je ne bougeai pas. J'avais trop peur des Anglais. L'avis de recherche avait peut-être été à nouveau accroché au tableau. J'avais plus peur des Anglais que de la morsure du mocassin. Aussi restai-je sans bouger au soleil.

Un martin-pêcheur piqua pour attraper un poisson et repartit en le tenant dans son bec. De petits nuages blancs flottaient au-dessus de ma tête. J'avais l'impression d'être haut dans le ciel et que les nuages étaient des îles blanches émergeant d'une mer bleue. Un rat musqué s'approcha à la nage, leva la tête, le museau ruisselant de gouttelettes brillantes. C'était peut-être mon ami à trois pattes. Il n'avait jamais reçu de nom. J'essayai de lui en trouver un. Mais je n'y arrivais pas. Je regardai les ombres du soir qui tombait. Je me sentais seule et j'avais peur de la nuit.

Je regagnai la grotte et fis du feu. Je me préparai du thé et mangeai un petit morceau de poisson fumé. Je demeurai assise un moment sur le seuil, contemplant la lune. Un hibou blanc passa devant moi. Des loups hurlaient sur l'escarpement illuminé par la lune.

Cette nuit-là, je fis un cauchemar. Ce ne pouvait qu'être un rêve ou alors, je ne me serais pas réveillée le lendemain matin. Je marchais le long du ruisseau vers le lac juste avant le crépuscule. J'aperçus une ombre contre un rocher et entendis un grognement ainsi que des pas lourds qui se dirigeaient lentement vers moi. Quel que fût l'animal, il devait être plus gros qu'un loup. Je me retournai. À moins de douze pas se dressait une forme sombre. Un animal. Sa tête était baissée, comme s'il reniflait mes traces. Puis, il la releva et je vis que c'était un ours brun. Il se tenait sur ses pattes de derrière et balançait sa tête. Sa gueule était ouverte et sa langue sortait. Le fusil était prêt à servir. J'appuyai sur la gâchette mais le coup partit trop bas et en biais. Je rechargeai le fusil mais avant même que je pusse le lever jusqu'à l'épaule, la bête était sur moi. Sa gueule rouge béait. Ses dents brillèrent un instant puis ses mâchoires se refermèrent avec un bruit sourd sur ma tête.

Je me réveillai, faible et fiévreuse. Le soleil brillait au-dessus de l'escarpement. Le feu était mort et il faisait encore nuit dans la grotte. Je m'assis. Je tâtai ma main qui était encore douloureuse et raide. Je fis un vœu. Lorsque j'aurais repris des forces, je grimperai à nouveau sur le gros rocher et tuerai le serpent qui m'avait mordue. Je ne lui avais voulu aucun mal, je vaquais à mes propres affaires. Mais là, je me cacherais pour le surprendre et le tuerais lorsqu'il s'aventurerait hors de son repaire.

35

Quand les Longknife revinrent, j'étais étendue dans la grotte à côté d'un lit de cendres froides. Helen me donna de la viande séchée et du thé, ce qui me remonta, et elle confectionna un cataplasme de bois pourri pour mon bras. Trois jours après, j'allais beaucoup mieux. À la fin de la semaine, j'étais à nouveau d'attaque.

Nous allâmes pêcher au lac. Nous étions tous dans la pirogue, prêts à jeter nos lignes, lorsque Helen dit qu'elle avait un message pour moi de la part du jeune monsieur Morton.

– Il veut que vous veniez à la réunion. C'est dans sept jours.

– Vous y êtes allés, à ces réunions ?

– Deux fois, répondit Helen.

John précisa :

– Assis beaucoup. Ne parle pas. Mange bien. Bon.

– Les quakers sont gentils, confirma Helen. Ils aiment bien les Indiens.

– Aimer beaucoup, dit John, Indiens aimer quakers aussi.

– Les choses ne vont pas fort à Ridgeford, reprit Helen. Pas de pluie depuis cinq semaines. Le maïs a séché sur pied. Tout le monde s'inquiète pour l'hiver.

– Nous n'avons pas eu non plus de pluie, à Waccabuc. Les jeunes bouleaux et les chênes sont en train de mourir. Mais ici, ça a moins d'importance, parce que je n'ai rien semé.

– Il y a aussi beaucoup de malades dans le village. Ils appellent ça les coliques.

– Et la guerre ? demandai-je. Que se passe-t-il ?

J'avais essayé d'oublier les Anglais.

J'avais vraiment essayé, mais je rêvais toujours du gros navire de Wallabout Bay et de David Whitlock, penché par-dessus le bastingage et m'annonçant dans un croassement que mon frère était mort. J'entendais encore les balles siffler, lorsque le Hessien avait déchargé son fusil sur moi. Et parfois, pendant la journée, je revoyais notre maison en flammes, notre grange brûler et la silhouette monstrueuse de mon père qui s'avançait vers moi en vacillant, à travers la fumée.

Je répétai :

– Où en est la guerre, Helen?

– Les Anglais sont venus le mois dernier. Ils sont restés à l'entrée du village et ont fait tonner les canons. Personne n'a répondu, alors ils sont partis et ne sont pas revenus. Mais la sécheresse est terrible et la maladie aussi. Les gens racontent que c'est l'œuvre d'une sorcière. Croyez-vous que ce soit vrai, qu'une sorcière puisse faire ces choses-là?

– C'est stupide, mais parfois, je me pose la question.

– Moi, je crois aux sorcières.

Helen était en train d'amorcer une ligne. Elle jeta l'hameçon dans l'eau et me lança un regard préoccupé.

– Vous irez à la réunion, dans sept jours?

– Je ne sais pas.

– M. Morton veut que vous y alliez.
– J'irai peut-être.
– J'espère que vous irez.

Pendant plusieurs jours, je ne pensais plus à cette invitation. En voyant les Longknife ranger leurs poissons et partir, une vague de solitude m'enveloppa. Je pensais aux Anglais. Je décidai pourtant d'assister à la réunion, quoi qu'il advienne.

Le lendemain matin, je grimpai sur le rocher où habitait le mocassin. Je m'avançai silencieusement, ainsi que John Longknife me l'avait appris. Le nid du serpent se trouvait dans une crevasse, sous la racine exposée d'un arbre. Le soleil l'éclairait. Le nid était vide. Je me cachai derrière un rocher et attendis, le fusil chargé.

Au milieu de la matinée, comme le mocassin n'avait toujours pas réapparu, je rentrai à la grotte, rassemblai mes affaires et me mis en route pour le village. J'aurais toujours le temps de tuer le mocassin à mon retour.

Cette nuit-là, je dormis à la belle étoile parce qu'un vent chaud soufflait. Je me réveillai au chant des coqs. Je fis le tour du village, comme l'autre fois, pensant que les Anglais avaient pu revenir depuis le départ des Longknife. Je fis également le tour des écuries.

Je remarquai que, au-delà de la taverne, les champs étaient tout secs. Je me demandai si c'était vraiment l'œuvre de sorcières.

Mme Thrope me donna un bon petit déjeuner parce que je l'avais aidée à faire le pain. Je me lavai et peignis mes cheveux, qui avaient repris une longueur décente.

Je traversai la rue pour me rendre au magasin des Morton et frappai à la porte. Une Noire m'ouvrit. Je lui dis que je voulais voir le jeune monsieur Morton. Elle devait attendre ma visite car elle me laissa entrer et me mena jusqu'à une salle par-derrière. Elle me désigna une chaise.

Je m'assis, les mains sur les genoux. J'étais mal à l'aise dans ma robe usée. C'était étrange d'être ainsi sur une chaise, de voir un tapis sur le plancher, une horloge qui tiquetait et une fenêtre par laquelle on pouvait regarder. La fenêtre était ouverte. Un bruit de voix me parvint. Je reconnus la voix d'Isaac Morton. Et après, celle de son père. Ils se querellaient. Puis il y eut un long silence.

Soudain, j'entendis prononcer mon nom. C'est tout ce que je compris, « Sarah Bishop ». C'était le père qui parlait. J'entendis encore une fois mon nom. Cette fois, on criait.

J'eus la tentation de m'enfuir. Je me levai et j'étais à la fenêtre lorsque Isaac Morton entra. Il avait des vêtements sombres et son chapeau noir était planté droit sur sa tête. Il souriait – d'un petit sourire pincé, cependant, et son visage était tout rouge.

– J'espérais que tu viendrais, ma sœur, dit-il.

Il me conduisit à un grand canapé, puis prit place doucement à côté de moi, sur le bord.

– Je n'étais pourtant pas décidée, répliquai-je, juste pour lui faire savoir que je n'avais pas eu une folle envie de venir. Le chemin est long jusqu'à Ridgeford.

– J'ai prié pour que tu viennes, et que le Seigneur allège tes pas.

J'eus envie de dire à Isaac Morton que le Seigneur ne l'avait exaucé qu'à moitié. Que j'étais encore fatiguée de la longue marche, d'avoir dormi à même le sol et d'avoir peur des Anglais.

– Voudrais-tu manger quelque chose? proposa-t-il.

– J'ai déjà mangé, merci.

– Alors, nous pouvons partir. Nous sommes déjà en retard et la réunion a lieu assez loin d'ici.

Je croyais qu'une charrette nous attendait dehors ou des chevaux, mais non. La charrette des Morton contenait déjà trois personnes : sa mère, son père et l'une des servantes noires.

Nous descendîmes la rue, puis nous empruntâmes une piste de terre. Le soleil était chaud. Nous marchâmes pendant plus d'une heure. M. Morton avançait à grandes enjambées mais je réussis à le suivre. Pendant les premiers yards, il ne dit rien, sauf que la marche était bonne pour l'esprit.

La piste sinuait entre des arbres qui se touchaient au-dessus de nos têtes. L'air était immobile et lourd de la poussière que rejetait la charrette familiale cahotant devant nous.

– Je t'ai déjà parlé de ce fusil, dit-il. Tu ne le quittes pas. Et le voici encore sur ton épaule. Un dimanche matin. Il semble déplacé dans cette paisible communauté.

– Votre père aussi semblait intrigué par ce fusil la première fois que je l'ai rencontré à Ridgeford. Avant que je parte, il m'a interrogée.

J'étais certaine que la discussion de ce matin portait sur moi et le fusil.

– Votre père n'aime pas ça, n'est-ce pas?

Isaac Morton resta silencieux. Il leva les yeux vers les arbres et se mit à siffler.

– Il ne m'aime pas non plus, ajoutai-je.

– Il a lu l'avis de recherche à ton sujet, Sarah.

C'était la première fois qu'il m'appelait par mon prénom. Cela me fut agréable. Je ne m'inquiétais pas beaucoup au sujet de son père. Pas encore.

– Nous ne possédons pas de fusil, reprit-il.

– Vous habitez dans une rue passante, pas dans une région sauvage.

– Nous autres quakers ne portons pas de fusil.

– Je ne suis pas une quaker. Je voudrais que vous le sachiez.

– Je le sais bien, acquiesça gentiment Isaac Morton à voix basse. C'est pour cela que je t'ai invitée à la réunion.

Mes chaussures étaient couvertes de boue séchée. Le soleil tapait fort malgré les arbres. Je commençai à me demander pourquoi j'étais venue.

– Ils vont parler de sorcellerie, à la réunion, dit-il. Mon père, en tout cas. Il croit aux sorcières. Pas celles qui volent sur des balais mais celles qui vivent paisiblement au milieu de nous sans jamais élever la voix. Moi-même, je croyais aux sorcières jusqu'à ce que je sois assez âgé pour mieux comprendre. Et toi, y croyais-tu ?

– Oui, répondis-je.

Ce que je ne lui précisai pas, c'était que,

parfois, même maintenant, je me posais encore des questions.

36

La réunion avait lieu dans une ferme qui appartenait à un homme du nom de Peake. La ferme était importante et derrière, on apercevait plusieurs granges. Et encore au-delà, des champs de maïs. Le maïs avait l'air malade.

Des charrettes et des chevaux étaient rangés sous un bouquet de chênes. Les quakers étaient rassemblés devant la maison. Le jeune monsieur Morton jeta un coup d'œil sur le fusil et hésita. Puis, il me prit par le bras dans l'intention de me guider à travers la foule, mais je me dégageai et demeurai à l'extérieur du cercle.

Il monta les marches qui menaient à la véranda. Une cloche sonna, une petite cloche qui fit à peine de bruit – alors que j'étais habituée aux cloches du Sabbath qui vous remuaient les intérieurs. M. Morton leva les mains. Je crus que c'était le signe pour que l'auditoire entonne un cantique. Comme dans les églises où j'avais été. Mais il n'y eut qu'un immense silence. Tout le monde baissa la tête et se mit à prier. Je fus la seule à ne pas le faire.

Lorsque la prière fut terminée, chacun resta perdu dans ses pensées, se parlant à soi-même, supposai-je.

Le père d'Isaac Morton n'était pas très loin de moi, en tout cas suffisamment proche pour que je le visse tendre le cou de temps en temps. Il ne regardait pas le fusil parce que je l'avais caché derrière moi. Il me regardait, moi. Les yeux lui sortaient de la tête comme ceux d'une grenouille. Ils étaient d'ailleurs aussi froids que ceux d'une grenouille. Je changeai de place afin qu'il ne puisse plus me voir.

Après le long silence, il se glissa à travers la foule, monta sur la véranda et rejoignit son fils. Ils s'entretinrent quelques minutes. Puis, il se tourna vers l'assemblée et demanda son attention.

Il avait une voix aussi coassante que les crapauds de Long Pond. Elle éclata sur l'assistance, faisant taire tout le monde, même les enfants qui se chamaillaient. Il parla de la sécheresse qui s'était installée depuis les premiers jours d'août.

– Les récoltes ont séché dans les champs, dit-il. Les raisins dans les vignes. Le soleil s'est levé et il s'est couché chaque jour dans un ciel sans nuages.

Il s'interrompit pour considérer le vaste ciel bleu. Les gens l'imitèrent. Le soleil déversait sa chaleur sur nous. Il n'y avait pas un nuage.

– La calamité s'est abattue sur nos têtes, poursuivit-il. Pendant que nous étions enfermés dans nos pensées égoïstes. Insouciants que nous étions des paroles de Dieu. Elle a fondu sur nous pendant que nous dormions.

Il s'arrêta et but à une tasse que son fils lui tendait. Puis il reprit, de sa voix tonitruante :

– Voici le jour du repentir. Et moi, Thomas Morton, je serai le premier à me repentir, pécheur que je suis. Ainsi donc, à partir de ce jour et à jamais, mes deux esclaves nègres, Sue Curry et Amy Byrd, seront libres. À partir de cet instant, elles peuvent faire ce que Dieu voudra, sans qu'on les en empêche.

Son regard balaya la foule.

– S'il y a des gens comme moi qui détiennent des esclaves, qui les possèdent en ce moment même, je les conjure de suivre mon exemple.

Le silence retomba sur l'assemblée. Deux hommes se dirigèrent vers la véranda et annoncèrent en quelques mots qu'eux aussi libéraient leurs esclaves. Comme personne d'autre ne se présentait, M. Morton leva les mains et remercia le Seigneur pour les âmes qui venaient d'être affranchies.

Puis, il déclara :

– Nous sommes soixante-treize Amis* ce matin. Si la maladie n'avait pas frappé, nous serions deux fois plus nombreux. Mais beaucoup ont peur. Beaucoup sont malades. Et beaucoup soignent les malades. Certains, hélas, sont morts.

Une femme poussa un cri de douleur.

– Pourtant, chers Amis, les fardeaux de la sécheresse et de la maladie qui ont été ainsi placés lourdement sur nos épaules ne relèvent pas de la seule volonté de Dieu. Il y a une présence maléfique parmi nous dans le village de Ridgeford, un esprit mauvais, appelez-le comme vous voudrez, qui menace nos fortunes et nos vies.

Thomas Morton nous contemplait du haut de la véranda. Le soleil brillait sur son visage en sueur. Ses yeux allaient et venaient, comme si la présence maléfique dont il parlait était tapie là, à portée de main, à portée de voix.

* Secte religieuse protestante née au XVIIe siècle. Ses membres ne reconnaissent ni sainteté, ni rites, ni sacerdoces. Ils se distinguent par une extrême sévérité des mœurs.

Il ne se tourna pas une seule fois dans ma direction. Et pourtant, j'avais le sentiment que ces paroles menaçantes m'étaient destinées. Il continua de discourir sur la sécheresse et la maladie. Les gens commencèrent à s'agiter. Il y eut des gémissements et des cris de douleur. Je mis le fusil sous mon bras et, sans un bruit, me faufilai hors de la foule.

J'atteignis la piste qui menait au village. Le vent s'était levé et j'entendais encore la voix puissante de M. Morton. Il me sembla qu'il prononçait mon nom.

Je me mis à courir. Des pas retentirent derrière moi. Une main m'agrippa par le bras.

37

D'abord, je crus que c'était Isaac Morton qui m'avait rattrapée. Il m'avait vu partir et m'engager sur la route. J'étais prête à me dégager sans même me retourner.

– Un moment, Sarah Bishop, dit une voix. Je voudrais vous parler.

L'homme avait une veste rouge, ornée de

deux rangées de boutons de cuivre. « C'est un officier, un officier anglais qui est venu pour m'arrêter », pensai-je.

Je regardai autour de moi, terrifiée. D'épais buissons garnissaient les deux côtés de la route avec, plus loin, des bouquets d'arbres. Si seulement je pouvais me dégager, je disparaîtrais dans les arbres. Je courrais jusqu'à la grotte et m'y barricaderais.

L'homme portait une médaille de cuivre ornée d'un seul mot. Le mot commençait par un *C*. Le reste était flou.

Il dit :

– Je suis le constable Hawkins. Je souhaite vous garder un court moment. Ne craignez rien.

Une charrette tirée par deux chevaux s'immobilisa à notre hauteur. Dessus se tenait un jeune homme qui pelait du nez. Le constable me poussa dans la charrette et grimpa après moi. Nous traversâmes le village et un ruisseau presque à sec pour arriver devant une bâtisse délabrée au milieu de hautes herbes folles. Là, le constable Hawkins me prit par le bras et me fit entrer par une porte en très mauvais état.

– Notre prison a brûlé la semaine dernière, s'excusa-t-il. Nous utilisons ce vieux moulin tant qu'on n'en aura pas construit une neuve. Et Dieu sait quand cela se fera. (Il indiqua un banc :) Asseyez-vous, s'il vous plaît.

– Pourquoi ? criai-je. Pourquoi suis-je ici ?

– Vous êtes ici pour votre protection, répondit le constable.

Il s'exprimait doucement, comme s'il s'adressait à une enfant.

– Calmez-vous. Je reviendrai bientôt, quand la réunion sera terminée. Quand les gens seront moins énervés. En ce moment, ils sont plutôt excités par pas mal de choses. La mort des gens et le veau à deux têtes que la vache de Heifer a mis bas. Et le chien bleu qui est né dans la ferme de Thompson, hier après-midi. Sans parler de la prison qui a brûlé. Et c'était un superbe bâtiment, je vous le garantis.

Il recula jusqu'à la porte et sortit. La clé tourna dans la serrure.

– Vous m'enfermez ! criai-je. Pourquoi ?

– Je vous l'ai déjà dit. Pour votre protection. Les gens sont plutôt de mauvaise humeur.

Il secoua la porte puis je l'entendis s'éloigner et la charrette partit très vite. Était-il possible qu'il y ait des gens dans le village de Ridgeford honnêtement convaincus que j'étais une sorcière ?

Une fille dépenaillée, d'un ou deux ans plus âgée que moi, était assise à l'autre bout du banc. Elle tricotait lorsque j'étais entrée. Elle s'arrêta et m'examina à travers des mèches de cheveux sales.

– Je ne crois pas aux sorcières et à toutes ces stupidités, dit-elle. Et vous?

J'essayai de lui répondre mais ma langue était paralysée par l'effroi.

– Ah, monde incertain, déclama quelqu'un dans l'ombre.

Je ne l'avais pas remarquée et je ne distinguais pas grand-chose à présent, sauf que c'était une vieille femme toute courbée, accroupie dans un coin.

Le moulin n'était pas grand. Quelques pierres à moudre usées gisaient sur le côté. Une ouverture assez haut placée trouait le mur. À travers, j'aperçus des arbres et des nuages blancs. Le constable m'avait dit deux fois de rester calme. J'essayai.

– Je ne savais pas que les sorcières volaient encore de nos jours. Je pensais qu'on les avait toutes brûlées depuis longtemps, murmura la vieille femme.

– Pas toutes, dit la fille dépenaillée. Vous avez bien l'air d'une sorcière, vous!

La vieille femme réfléchit un instant, claqua la langue et poursuivit :

– Ma grand-mère était une sorcière. Elle habitait au nord d'ici, à Dedham, près de Boston. Ils l'ont dévêtue et frappée avec un fouet à cinq queues. Ils l'ont fouettée au sang et ils l'ont chassée de Boston jusqu'à Dedham. Elle est enterrée là-bas, ma grand-mère, sans même une pierre pour marquer sa tombe.

J'étais pétrifiée. Les deux autres continuèrent de parler. Au bout d'un moment, la vieille s'endormit et la fille reprit son tricot. Un pivert tapait sur l'un des murs de bois du moulin. Il réussit à percer un trou et un rayon de lumière apparut. Les coups de bec cessèrent. Puis l'oiseau revint et passa un épis de maïs dans le trou, pensant faire ses provisions. L'épis de maïs tomba à mes pieds.

Assise silencieusement sur mon banc, je tentai de rassembler mes esprits. J'avais cru que Isaac Morton m'avait conviée à la réunion parce qu'il estimait que j'étais sans religion et voulait me convertir. J'avais eu tort. Il m'avait invitée ici pour provoquer des troubles. Pour me faire chasser de Ridgeford, de la région.

Je me mis à faire les cent pas. Je portais mon fusil sur l'épaule. Si le constable Hawkins était revenu à cet instant, je crois que je lui aurais tiré une balle dans le corps.

– Vous me rendez nerveuse à marcher comme ça, un fusil sur l'épaule, protesta la fille.

La vieille éclata d'un rire caverneux et dit :
– Bientôt, ma chère petite, vous allez enfourcher ce fusil et vous envoler comme une vraie sorcière.

Je pris le fusil et appuyai sur la gâchette. Le bruit secoua le vieux moulin. De la fumée se répandit. À présent, il y avait un trou dans le toit. Elles me laissèrent tranquille.

Je me rassis et songeai à Long Pond. Aux colverts, aux pintades au poitrail marron et aux canards rouges, qui cherchaient leur nourriture dans le marais. Aux daims qui broutaient paisiblement et au renard rusé en quête d'une proie chaque matin à l'aube. Aux airelles qu'il fallait cueillir avant que les geais ne les mangent.

Le pivert continuait à emmagasiner du maïs. Au bout d'un moment, j'entendis un cavalier sur la route. Puis un chariot s'arrêta. Puis le constable Hawkins ouvrit la porte. Derrière lui se tenait Isaac Morton, le chapeau de travers, comme s'il avait galopé à toute allure.

38

Le constable Hawkins sourit.

– Je vous avais dit que je reviendrais, me dit-il. Je n'aurais pas dû vous enfermer ici, mais j'avais peur que la foule ne vous fasse un mauvais parti.

Isaac Morton dit :

– J'ai eu bien peur pour toi, Sarah. Encore maintenant, je tremble. Non pour ta vie mais à cause d'autres choses. Je dois te parler.

Il me mena jusqu'au cheval, qui n'avait pas de selle.

– J'ai emprunté cette jument, dit-il.

Il me fit une marche de ses mains et me donna une poussée.

– Elle appartient à Jason Sharp. Je lui rapporterai un jour. En tout cas, si Jason se décide à régler la facture qu'il nous doit depuis deux ans.

J'étais déjà montée en amazone à la ferme, mais en robe, et jamais à califourchon. Les gens nous regardèrent lorsque nous descendîmes la rue. Nous nous arrêtâmes à la taverne et Isaac attacha la jument à un poteau.

M. Cavendish, le propriétaire, nous croisa. Je fus surprise qu'il nous adresse un salut aimable de la tête.
– Il est avec nous, dit Isaac. C'est lui qui a calmé les esprits ce matin. Lorsqu'ils ont commencé à crier, il s'est levé et leur a fait honte. C'était pendant que tu étais dans la prison, Sarah.

Un nuage cacha le soleil, mais poursuivit sa route, laissant le ciel chaud et cuivré. Isaac reprit :
– J'ai honte d'admettre que mon père, contrairement à M. Cavendish, ne t'aime pas. Depuis le début. Depuis que tu as mis les pieds dans le magasin. Tes cheveux étaient très courts, comme un garçon et il n'a pas apprécié. Tu avais une drôle de lueur dans les yeux, comme si tu avais vu un fantôme et cela a éveillé ses soupçons. Puis il y avait le fusil et ta réponse « ce n'est pas votre affaire » ou quelque chose de ce genre.
– Effectivement, ce n'était pas son affaire et cela ne l'est toujours pas.
– Autre chose. Lorsqu'il a pris connaissance de l'avis de recherche te concernant, cela lui a flanqué un coup car il est un chaud partisan du roi. Mais il y a plus. L'Indien qui est venu te voir en prétendant qu'il était le propriétaire du lac est passé au magasin et a raconté à mon père que tu

l'avais chassé. De plus, il a rapporté que tu avais une chauve-souris avec toi dans la grotte et que tu la traitais comme une personne. Que tu lui parlais même.
– Je lui parle, c'est vrai.
Isaac eut l'air surpris.
– En tout cas, la chauve-souris lui a donné encore plus à penser. Et puis, ce matin, quand tu es arrivée, il m'a dit que je n'aurais jamais dû t'inviter à la réunion.
– Je regrette que vous m'ayez invitée. Et je regrette aussi d'y être allée.
– Pas moi. Je suis heureux que tu sois venue. Mais nous sommes en mauvaise posture.
– Pas vous.
– Si, tous les deux.
– Je vais rentrer à Waccabuc. Vous ne serez pas tenu pour responsable de moi.
– Ils iront là-bas, Sarah. La chasse aux sorcières a disparu presque partout depuis des années, sauf à Ridgeford. Ici, on y croit toujours. Chaque fois qu'un malheur survient comme la sécheresse ou les sauterelles, il y a toujours quelqu'un pour affirmer que c'est la faute d'une sorcière. Et ils cherchent jusqu'à ce qu'ils la trouvent.
– Qui sont ces « ils »?
– Mon père entre autres. Ils chercheront jusqu'à ce qu'ils trouvent quelqu'un qu'ils

pourront appeler sorcière. Cela s'est produit il y a six ans. Ce printemps-là, nous avions et la sécheresse et les sauterelles. Pas aussi forte que maintenant mais quand même. Ils ont cherché nuit et jour et ont jeté leur dévolu sur une vieille femme – elle s'appelait Melanie Medwick. Elle avait l'air d'une sorcière. Elle avait sept chats, dont quatre noirs, et vivait seule dans le moulin abandonné où tu étais enfermée aujourd'hui. Ils l'ont attachée à une charrette et l'ont fouettée. Puis ils l'ont chassée de Ridgeford. En fait, la sécheresse a cessé après son départ. Ce qui, bien sûr, a renforcé leurs convictions.

– Ces hommes ne représentent pas tout le village.

– Ce sont eux qui font la loi, Sarah. Et ils te poursuivront comme ils l'ont fait avec Melanie Medwick. Ils vont certainement se réunir demain. C'est comme un procès, sauf que ce n'est pas légal. Ils font venir des témoins. Ils prononcent des sentences. S'ils te condamnent, ils te chasseront de Long Pond et tu ne pourras plus jamais remettre les pieds dans le village.

– Ils ne peuvent pas me chasser.

– Pas légalement. Mais ils finiront par y réussir. Tu ne pourras plus acheter de sel, de farine ou de poudre pour ton fusil à

Ridgeford. Si tu habitais dans une maison, ils viendraient la nuit et la brûleraient. Les gens ne te parleront pas dans la rue. Les enfants te jetteront des pierres. Ils découvriront mille moyens pour se débarrasser de toi.

– Je ne quitterai pas Long Pond.

– Ce sont de méchantes gens, Sarah.

– Je ne partirai pas, répétai-je. Et si je me présentais devant eux demain ?

– Oui, dit Isaac. Nous irons tous les deux.

Après son départ, j'allai à la cuisine. Pour l'avoir aidée à préparer le souper, Mme Thorpe m'indiqua un endroit où dormir. Je ne songeais pas un seul instant à quitter Ridgeford, pas avant d'avoir affronté ces hommes.

39

La réunion commença peu après midi, à la taverne, dans une pièce à l'étage où l'on jouait d'habitude au billard. C'était une grande salle au centre de laquelle trônait la table de billard. Des chaises étaient alignées sur deux côtés. Il y avait beaucoup de fenêtres, dont certaines donnaient sur la rue et d'autres sur quelques ormes et les champs de maïs.

Dans la rue poussiéreuse, le soleil frappait à travers une brume de chaleur, lorsque je rencontrai Isaac devant la taverne. À mon avis, ce n'était pas une bonne idée de s'être donné rendez-vous ainsi, devant tout le monde, mais il m'assura que ça n'avait aucune importance.

Les hommes savaient que nous venions parce que Isaac l'avait annoncé à son père. Ils étaient aux fenêtres lorsque nous montâmes l'escalier.

Isaac sortit une bible de sa poche.

– Je lirai un passage de Matthieu, dit-il. Ils ont oublié Matthieu. Quant à toi, mon conseil est de te montrer patiente, de parler sans colère et de dire la vérité telle que tu la connais. Aussi, tu ferais mieux de laisser le fusil dans le couloir.

Ils étaient six, assis tout raides en rang contre le mur le plus éloigné. Les fenêtres étaient ouvertes et le vent gonflait les rideaux. Dans un coin, j'aperçus le constable Hawkins et deux hommes. L'un était l'Indien qui était venu à Long Pond, celui que j'avais chassé. L'autre était Sam Goshen.

M. Morton se leva et prononça une courte prière. Lorsqu'il eut terminé, il me lança un coup d'œil et lorgna vers le fusil que j'avais toujours à la main. Je me tenais sur le seuil à côté de son fils. Il dit quelque chose aux cinq autres hommes qui regardèrent tous le fusil. Puis il nous fit signe d'entrer dans la salle.

– Sarah Bishop, il n'est pas dans nos habitudes d'écouter l'accusé, dit-il. Mais comme tu es d'âge tendre, nous souhaitons nous montrer justes et t'entendre.

– Merci, dis-je en essayant de ravaler ma colère.

– Tu es accusée de sorcellerie, commença-t-il. Cette sorcellerie a apporté au village de Ridgeford la sécheresse qui ravage nos champs. Elle a apporté dans nos foyers la maladie, le chagrin, la douleur et la mort.

Il s'interrompit et consulta sa montre.

– Est-ce que tu nies ces accusations?

– Oui, je les nie toutes et complètement, répondis-je.

– Continue.

– Je ne suis pas une sorcière. Je vis seule et ne m'occupe pas des affaires des autres.

– Tu habites dans une grotte?

– À Long Pond.

– Pourquoi habites-tu dans une grotte? demanda-t-il de sa voix rugueuse.

– Parce que c'est confortable.

– Pourquoi n'habites-tu pas à Ridgeford,

comme tous les gens qui craignent Dieu?
– Parce que je préfère Long Pond.
– Pourquoi as-tu choisi de vivre seule?

Les souvenirs m'assaillirent. Je ne pus parler. La salle était silencieuse. Une bouffée d'air chaud souffla par les fenêtres. J'apercevais au loin quelques nuages floconneux sur le dessus et pourpre en dessous. Isaac me fixa, espérant que j'allais répondre. Mais je ne le pouvais pas.

– Est-ce tout ce que tu souhaitais dire? demanda M. Morton.

Je hochai la tête. Les mots ne venaient pas.

Il se tourna vers les deux hommes assis dans le coin.

– Sam Goshen, veux-tu t'avancer?

Goshen se leva et, en boitant, vint se placer devant M. Morton.

– Goshen, est-il vrai que tu as vécu cinq ou six semaines dans la grotte susmentionnée, celle de Long Pond?

Sam Goshen toucha la mèche sur son front et s'inclina.

– Oui, monsieur, je me rappelle avoir vécu dans la grotte susmentionnée.
– As-tu observé là-bas des choses inhabituelles?
– Tout était étrange, monsieur.
– Sois explicite, s'il te plaît.

– Eh bien, d'abord, elle gardait toujours ce fusil avec elle. Et quand elle dormait, elle le glissait sous elle, le doigt sur la gâchette.

Goshen s'interrompit pour réfléchir.

– Poursuis, ordonna M. Morton.

– Autre chose. Il y avait un rat musqué qui courait partout. Il n'avait que trois pattes et n'était bon à rien si ce n'est à faire une belle fourrure.

– L'animal avait-il un comportement bizarre ?

– Tous les rats musqués se comportent bizarrement. Par exemple, le printemps dernier, j'en ai attrapé un...

M. Morton suggéra qu'il réponde à sa question.

– Elle lui parlait.

– Que lui disait-elle ?

– Je ne me rappelle pas exactement, mais des choses qu'on dit d'habitude aux gens.

– Elle lui parlait comme si c'était une personne ?

– Oui, et le rat musqué lui répondait. Pas avec des mots, bien sûr, mais avec de petits cris. Mes cheveux se dressaient sur ma tête de les entendre converser comme ça.

– Et qu'as-tu observé d'autre, Sam Goshen, pendant que tu vivais dans la grotte de Long Pond, qui aurait pu t'amener à penser que Sarah Bishop est une sorcière ?

– La chauve-souris surtout. Une chauve-souris blanche.
– Blanche ?
– Oui, aussi blanche que de la neige qui vient de tomber.
– C'est une curieuse couleur pour une chauve-souris, n'est-ce pas ?
– Jamais vue de ma vie. J'ai quarante-deux ans et j'en ai vues, des chauves-souris. Noir et brun quelquefois, mais blanche, jamais. J'espère d'ailleurs ne jamais en voir une autre.
– Est-ce que Sarah Bishop parlait à la chauve-souris comme elle parlait au rat musqué ?
– Bien sûr.
– Qu'as-tu remarqué d'autre avec la chauve-souris ?
– Elle la laissait sortir dès le coucher du soleil et la faisait rentrer dès la première lueur du jour.
– Et où allait la chauve-souris, crois-tu ?
– Impossible à dire. Elles peuvent voler loin. Je l'ai aperçue une fois. C'était au crépuscule, à une lieue de là.
– Peuvent-elles voler jusqu'à Ridgeford ?
– Plus loin peut-être.

M. Morton posa encore des questions à Sam Goshen mais lorsque celui-ci commença à se répéter, il lui dit de s'asseoir et appela l'Indien. L'Indien, qui s'appelait Jim Mountain, témoigna qu'il avait vu la chauve-souris et avait voulu la tuer mais que je l'en avais empêché. Il raconta une histoire interminable pour expliquer qu'il l'avait vue pendant qu'il campait près de Ridgeford.

– Du feu brûlait, dit-il. Chaud. Grand. (Il leva la main au-dessus de sa tête.) Chauve-souris dans le feu. Voler à travers le feu.

Le vent était un peu tombé mais je percevais le bruissement des maïs secs. À l'est, les nuages pourpres s'étaient rapprochés.

M. Morton appela encore deux autres personnes, une femme et un vieil homme. Tous deux avaient vu la chauve-souris blanche voler au crépuscule.

– C'était étrange, dit la femme. Elle était blanche avec une bouche toute rose.

Le vieil homme l'avait aperçue trois fois, le soir même où trois personnes étaient mortes.

M. Morton demanda si quelqu'un souhaitait apporter un témoignage en ma faveur.

– Moi, dit Isaac.

Et il alla se planter devant son père. Ils se dévisagèrent comme s'ils se rencontraient pour la première fois.

M. Cavendish n'écoutait pas. Il lisait un

grand registre posé sur ses genoux. Mais les autres hommes sur les chaises contre le mur avaient tous les yeux fixés sur moi. Le visage de deux d'entre eux n'était pas hostile, plutôt interrogateur, comme s'ils n'avaient pas encore d'avis. Le visage des deux autres était figé dans une expression sévère, visiblement braqué contre moi.

Je contemplai les champs et le ciel bleu. J'essayais de m'imaginer de retour à Long Pond, seule dans la pirogue, avec les oies qui volaient, les hirondelles qui faisaient leurs nids et les daims broutant dans la prairie. Je n'y parvins pas. Tout ce que je voyais, c'était M. Morton debout devant moi, sur ses grosses jambes courtes, l'air mauvais et tout à fait déterminé. J'eus envie de fuir mais n'en trouvai pas la force.

40

Les rideaux se gonflèrent à nouveau sous l'effet du vent lorsque Isaac prit la parole, et un coup de tonnerre retentit au loin. L'un des hommes assis contre le mur dit qu'il n'entendait pas bien. Isaac éleva la voix.

– Cette réunion est illégale, dit-il. Comme vous le savez, tous ici, toi Seth Adams, notre hôte M. Cavendish et mon père, Thomas Morton, ainsi que vous Harold Stokes, Lem Baumgarden et David Smalley. Vous n'avez aucune autorité pour prononcer une sentence, imposer une amende ou faire exécuter un jugement.

M. Morton se tenait à moins de deux pas de son fils mais il n'écoutait pas. Il me considérait, les yeux remplis de haine.

– Ce que vous pouvez faire à vous six, poursuivit Isaac, c'est chasser une jeune fille innocente de chez elle. Non par des moyens humains ou légaux mais par des moyens maléfiques. Si vous agissez ainsi, vous n'êtes qu'une bande de sots et Dieu vous punira.

Il ouvrit la bible et lut :

– *Ne vous posez pas en juge afin de n'être pas jugés. Car c'est de la façon dont vous jugez qu'on vous jugera et c'est la mesure dont vous vous servez qui servira de mesure pour vous.*

Deux des hommes se levèrent pendant sa lecture et allèrent à la fenêtre. Ils scrutèrent le ciel qui s'obscurcissait et revinrent dire qu'un orage se préparait. Les autres allèrent vérifier. Finalement, plus personne n'écoutait Isaac.

Cela me rendit furieuse. Je fus tentée de me servir de mon fusil.

Seul, le père d'Isaac n'avait pas bougé. Les jambes écartées, la tête en arrière, il gardait les yeux rivés sur moi. Je faisais comme si je ne le voyais pas.

Les nuages avaient dû avancer vite parce que, soudain, la salle s'obscurcit. Tout le monde se précipita dehors. Leurs voix excitées montèrent de la rue. Mais M. Morton restait planté à sa place, comme en transe.

La salle était silencieuse. Le vent était tombé et les rideaux ne bougeaient plus. Isaac rouvrit la bible. Il attendit que M. Morton cesse de me regarder et leurs yeux se rencontrèrent. Il poursuivit alors la lecture de Matthieu.

Le bruit de la pluie fit, sur le toit, un bruit sec, semblable à celui de cailloux qu'on jetterait. Le père d'Isaac pâlit. Soudain, il leva les mains et laissa échapper un grognement de reconnaissance.

Puis il dit, en prenant Isaac par le devant de sa chemise :

– Tu vois, tu vois, nous avons fait le procès de cette sorcière. Et à présent la douce pluie commence à tomber.

Un autre éclair illumina la salle, le tonnerre gronda et le vent souffla, gonflant les rideaux. M. Morton dévala l'escalier en criant. Le tonnerre gronda encore puis s'éloigna. La voiture de la poste s'arrêta dans la rue. Le cocher attacha son cheval à la barrière et pénétra dans la taverne.

Il ne plut que quelques minutes. Puis, le soleil réapparut dans tout son éclat et sa chaleur. On entendait encore le vent faire bruire les maïs.

Les hommes remontèrent l'escalier en silence. Leurs vêtements étaient humides. M. Morton enleva ses lunettes et les essuya avec un mouchoir. Le postier entra avec le courrier. Il était taché de pluie et de poussière. M. Cavendish donna l'ordre à une servante de lui apporter à boire. Le postier ouvrit sa sacoche qui contenait deux lettres pour M. Cavendish.

– Ça fait un dollar, dit-il.

– Cinquante chacune ?

M. Cavendish fouilla dans ses poches et en tira un billet continental.

– Un dollar. C'est dur, jeune homme.

Le postier refusa le billet.

– Du vrai argent, monsieur.

M. Cavendish sortit pour aller chercher l'argent et lorsqu'il fut de retour, Isaac s'adressa à son père.

– Il y a un court instant, tu disais qu'une sorcière avait été traduite devant la justice et que « la douce pluie » commençait à tomber. Je cite tes propres paroles. Que dis-tu, à présent que les nuages d'orage sont passés, n'octroyant qu'une simple ondée au village de Ridgeford ?

M. Morton frappa de son petit poing la table de billard.

– J'affirme plus que jamais que c'est une sorcière !

Isaac voulut répondre. Finalement, il se tourna vers l'homme de la poste et lui demanda :

– Tu es venu directement de Boston ?

– J' suis parti de Boston il y a neuf jours.

– Dis-moi, quel temps faisait-il lorsque tu as quitté Boston ?

– Sec.

– Très sec ?

– Sec comme un coup de trique. Pas une goutte de pluie depuis des semaines. Les gens se plaignent amèrement et prient à genoux.

– As-tu rencontré la maladie en chemin ?

– La maladie est partout. Et surtout à Hartford.

L'homme de la poste but à nouveau et referma sa sacoche. Il salua de la main, descendit l'escalier en courant et fit claquer la porte derrière lui. Le clop, clop des sabots résonna dans la salle qui était retombée dans le silence. Isaac considéra les hommes rassemblés autour de la table.

– Il est possible que des chauves-souris puissent voler du lac Waccabuc jusqu'à Ridgeford, dit-il. Mais elles ne peuvent pas voler pendant des centaines de lieues jusqu'à Boston, par exemple.

Il regarda chaque homme à son tour.

– Y a-t-il ici quelqu'un qui, sérieusement, puisse le croire?

Son père marmonna quelque chose puis se tut. Les autres restèrent muets. M. Cavendish ouvrit sa lettre et se mit à la lire.

– En outre, poursuivit Isaac, si le temps à Boston est aussi sec qu'une morue d'un an, si la maladie s'étend dans toutes les villes et tous les villages, alors, tout cela ne peut pas être causé par la jeune fille qui se tient devant vous dans cette pièce.

– Les sorcières volent, répondit son père. Autour du monde, si elles le veulent.

M. Cavendish leva la tête de sa lettre.

– De cela, je doute fort, fit-il, avant de se replonger dans sa lecture.

L'un des hommes déclara que lui aussi en doutait. Un autre voulut dire quelque chose mais se contenta de tousser. Tous deux avaient l'air honteux. Sam Goshen alla à l'une des fenêtres. L'Indien termina le verre du postier.

– Sarah, laissons les hommes méditer sur les avertissements de Dieu. Il en est temps, dit Isaac.

Il me prit par le bras et m'entraîna en bas, dans le salon réservé aux dames. Il commanda deux laits à la vanille et des tartes. On les servit sur un plateau en étain pendant que Goshen, l'Indien et quatre des hommes du comité descendaient l'escalier. M. Morton les suivait. Lorsqu'il passa devant le salon des dames, il y jeta un coup d'œil et hésita. Pendant un moment, je crus qu'il allait venir me relancer. Mais il se détourna et sortit dans la rue tachetée de gouttes de pluie.

– Mon père n'a pas changé d'avis, dit Isaac. Il croit toujours que tu es une sorcière et il le croira jusqu'à son dernier jour. De même, l'apothicaire, Harold Stokes. Cependant, ils ne sont que deux contre quatre. Père retiendra donc sa langue et ne te condamnera pas devant le village.

– Je ne quitterai pas Long Pond, dis-je, même s'ils me condamnaient tous.

41

À travers la fenêtre ouverte arriva une bouffée de vent. Les gens étaient toujours dans la rue, contemplant le ciel vide.

Nous bûmes notre lait à la vanille et mangeâmes les tartes que Isaac trouva délicieuses. C'est du moins ce qu'il affirma. Elles étaient si chaudes que le sucre sur le dessus avait fondu. Je ne lui dis pas que c'était moi qui les avais faites la veille au soir.

Soudain, il y eut un nouveau roulement de tonnerre au loin. Et plus près, dans la rue, nous parvint le bruit de sabots. Un cavalier solitaire s'arrêta devant la taverne. C'était un Hessien, dont les cheveux longs et la grosse moustache étaient teints en noir.

Il attacha son cheval, monta rapidement les marches et pénétra dans la taverne. Il regarda par la porte du salon, d'abord Isaac, puis moi. Je lui rendis son regard.

Il alla jusqu'au tableau, au fond du couloir. Je l'observai pendant qu'il accrochait un avis de recherche. Quelques minutes plus tard, il était remonté sur son cheval et galopait dans la rue. Isaac attendait que je me lève et aille lire l'avis. Je ne bougeai pas.

Mon fusil était appuyé dans un coin. Isaac lui jeta un coup d'œil et sourit.

– C'est la première fois que je te vois sans lui. Tu as dû te sentir brave lorsque tu l'as déposé là-bas. J'ai été heureux que tu ne l'aies pas pris lorsque le Hessien est entré. Je me demande depuis quand tu es si attachée à ce fusil?

– Cela fait longtemps. Depuis l'année dernière. Je l'ai acheté au passeur. Il m'a appris à m'en servir. C'était après la mort de mon père et de mon frère. Lorsque j'ai déchiré une page de la bible.

Isaac, qui terminait sa tarte, s'interrompit.

– Le sermon sur la montagne, expliquai-je. La partie où il est dit, *si quelqu'un te gifle sur la joue droite, tends-lui aussi l'autre.*

– Tu as déchiré une page de la bible? Tu as détruit une page du Livre saint? s'exclama Isaac, profondément choqué.

– Oui, je l'ai jetée dans le feu.

Isaac me dévisagea d'un air incrédule.

– Tu lis une bible dont le cœur a été arraché?

– Je ne lis pas beaucoup la bible.

– Quand le fais-tu?

– Je lis surtout l'Ancien Testament.
– Œil pour œil, dent pour dent?

Je hochai la tête. Il sortit sa bible et l'ouvrit lentement à Matthieu. Puis, avec grand soin, il déchira une page et me la tendit.

– Voudrais-tu placer ceci dans ta bible? dit-il.
– Oui.
– La liras-tu?
– Peut-être.

La brise chaude fit bruire la page.

– Jure-moi que tu le feras.

Je mis la page dans mon corsage.

Une horloge sonna. Isaac bondit sur ses pieds.

– Je suis en retard pour ouvrir le magasin. J'y serai ce soir aussi. As-tu besoin de quelque chose... ?

J'avais besoin d'un tas de choses mais n'avais pas d'argent pour les payer.

– Non. Rien, répondis-je.
– Il y a une autre réunion dans deux dimanches, reprit Isaac. Viendras-tu?
– Je crois.
– Fais-le! Et apporte la bible avec la page de Matthieu que je viens de te donner. Nous ne pouvons vivre sans l'amour de Dieu. Ni sans notre propre amour, que nous devons partager avec Lui et les autres.

Nous nous dîmes au revoir. Il descendit les marches et remonta la rue. Je le regardai partir. M. Cavendish était en train de lire l'avis que le Hessien avait apposé. Je fus tentée de le lire aussi, mais je me mis en route.

Les derniers rayons du soleil jouaient à travers les arbres. J'avais mon fusil sur l'épaule. Je le tenais sans le serrer car ma main n'était pas complètement guérie.

Mon chemin passait par le lit d'un ruisseau qui était à sec, à l'exception d'une petite flaque de boue mousseuse. Un serpent s'y désaltérait. Au bruit de mes pas, il cessa de boire. Aux bandes brunes et jaunes qui striaient son corps, je sus que c'était un mocassin.

Il n'était qu'à quelques courtes enjambées de moi. Il ne tenta pas de s'enfuir mais dressa la tête, darda sa langue noire et me fixa de ses yeux jaunes. Je m'arrêtai, levai le fusil et visai soigneusement.

J'étais sur le point de presser la gâchette lorsque le serpent se remit à boire. Je l'observai sucer l'eau remplie de mousse. Puis, coinçant le fusil sous mon bras, je fis un large détour pour éviter la mare et poursuivis mon chemin.

Le crépuscule s'installait comme j'atteignais la crête ouest. Je regardai derrière moi. Au-dessus des arbres, en bas dans la vallée, je vis les lumières de Ridgeford s'allumer une par une. J'avais oublié à quel point des lumières pouvaient paraître hospitalières.

l'Atelier du Père Castor présente

la collection Castor Poche

La collection Castor Poche vous propose :

- des textes écrits avec passion par des auteurs du monde entier,
  par des écrivains qui aiment la vie,
  qui défendent et respectent les différences ;
- des textes où la complicité et la connivence entre l'auteur et vous se nouent et se développent au fil des pages ;
- des récits qui vous concernent parce qu'ils mettent en scène des enfants et des adultes dans leurs rapports avec le monde qui les entoure ;
- des histoires sincères où, comme dans la réalité, les moments dramatiques côtoient
  les moments de joie ;
- une variété de ton et de style où l'humour, la gravité, la fantaisie, l'émotion, la poésie se passent le relais ;
- des illustrations soignées, dessinées par des artistes d'aujourd'hui ;
- des livres qui touchent les lecteurs à différents âges et aussi les adultes.

Un texte au dos de chaque couverture vous présente les héros, leur âge, les thèmes abordés dans le récit. Vous pourrez ainsi choisir votre livre selon vos interrogations et vos curiosités du moment.

Au début de chaque ouvrage, l'auteur, le traducteur, l'illustrateur sont présentés. Ils vous invitent à communiquer, à correspondre avec eux.

CASTOR POCHE
Atelier du Père Castor
4, rue Casimir-Delavigne
75006 PARIS

285 Le cercle de pierres (senior)
par Nancy Bond

Un été, sur un chantier archéologique... Même si Pennie, à quatorze ans, est trop jeune encore pour prendre part aux fouilles, ce pourrait être des vacances de rêve. Or, non seulement l'ambiance est tendue dans cette famille où, à la suite d'un remariage, chacun doit s'adapter, mais encore, sur le chantier, les incidents se multiplient. Malveillance? Accidents ?

286 Stève et le chien Sorcier
par Anne Pierjean

Au cours d'une partie de pêche au bord de la Drôme, Stève et son inséparable ami Pat rencontrent Carême le clochard qui vit avec son chien, Sorcier. Le vieil homme prétend posséder un trésor dont il serait le seul, avec son chien, à connaître la cachette. Quelques jours plus tard, Carême est victime d'une agression...

287 Dix-neuf fables d'oiseaux
par Jean Muzi

Ces fables, empruntées à la littérature populaire d'Europe, d'Asie et du Moyen-Orient, montrent des oiseaux moins écervelés qu'on le dit et qui savent aussi jouer de malice pour ridiculiser des animaux bien plus impressionnants qu'eux...

288 L'apprenti amoureux
par Marie-Christine Helgerson

Lyon, 1542. Anne est l'aînée de la famille. Son père imprimeur a deux apprentis, Nicolas et Gilles, qui ont quinze ans. Gilles et Anne sont amoureux. Mais une simple parole de la célèbre poétesse Louise Labé suffit à semer le trouble dans le cœur de Gilles... A ses yeux, Anne n'est plus qu'une petite fille...

289 **Touchons du bois (senior)**
par Renée Roth-Hano

Les Allemands occupent l'Alsace. La famille Roth va chercher refuge à Paris. Devant la montée du nazisme, les parents décident de mettre leurs trois filles dans une institution catholique en Normandie. Renée, neuf ans à l'été 1940, raconte au jour le jour sa vie et celle de ses jeunes sœurs durant ces quatre années de guerre.

290 **La ballade des Lackawanna**
par Chester Aaron

1931, aux États-Unis. Pendant la grande crise économique, Willy, quinze ans, se retrouve à la rue. Avec Carl, Slezak, Norman, Deirdre et son frère Herbie, Willy forme une famille. Ils se surnomment les Lackawanna. Mais Herbie, neuf ans, disparaît, les Lackawanna partent à sa recherche en s'embarquant clandestinement dans les trains de marchandises...

291 **Une chèvre pour Yaya**
par Nadia Wheathy

Même si l'Australie se trouve très loin de la Grèce, Mareka serait tout à fait heureuse d'y vivre. Mais sa grand-mère, sa Yaya, se sent perdue et malheureuse. Elle regrette son village et sa chèvre Poppy. Mareka a une idée !

292 **Papa Longues-Jambes**
par Jean Webster

A dix-sept ans, Judy fait connaissance avec la vie universitaire grâce à la générosité d'un bienfaiteur anonyme. Mais Judy, qui est orpheline, devra lui rendre compte à travers ses lettres des événements marquants de sa vie nouvelle. Judie ne sait rien de cet homme. "Papa Longues-Jambes", comme elle le surnomme dans sa correspondance à sens unique, répond... à sa manière.

293 **L'enfant du vent**
par Ashley Brian

Quatre récits, mi-contes, mi-fabliaux, issus de différentes cultures d'Afrique noire. A-t-on jamais vu un lion père d'une nichée d'autruchons ? Un gamin joue avec l'enfant du vent et découvre son secret. Le lièvre en a assez des jeux du chacal. L'enfant qu'on appelait le Nigaud devient astucieux en grandissant...

294 **Le libre galop des pottoks**
par Résie Pouyanne

Pampili rêve de voir les pottoks, ces mystérieux chevaux sauvages qu'il entend galoper dans la nuit. Un jour, avec son copain Manech, Pampili sauvera une jeune pouliche tombée dans une ravine. Et c'est le début d'une grande amitié entre le garçon et l'animal.

295 **Le jardin secret**
par Frances Hodgson Burnett

Seule survivante d'une épidémie de choléra dans un petit village des Indes, Mary arrive en Angleterre pour vivre chez son oncle dans un immense manoir isolé. L'oncle Archibald est un homme étrange et dans cette demeure emplie de mystères, Mary va de surprise en surprise...

296 **Pièce à conviction** **(senior)**
par Bernard Ashley

Hold-up manqué à Londres. Sam, le chauffeur de taxi qui avait pris les bandits en charge, découvre dans son véhicule un objet qui pourrait bien servir de pièce à conviction. Il l'empoche. Grâce à cet objet clé, Sam espère tenir la dragée haute à la mafia qui terrorise le quartier, et par là protéger les siens. Mais c'est sa petite-fille, Paula, qui va devoir du haut de ses quatorze ans faire face au plus gros de la tourmente.

297 **Les fuyards de la nuit**
par Vivien Alcock

Le cirque doit fermer. Les animaux sont vendus les uns après les autres. Charlie et Belle, les deux enfants de la troupe, apprennent que Tessie, la vieille éléphante qu'ils adorent, va être abattue. Charlie et Belle élaborent un plan pour tenter de sauver l'animal...

298 **Des ennuis, Julien ?**
par Anne Pierjean

Julien part en convalescence à la montagne chez sa sœur Brigitte, jeune institutrice. Il fait la connaissance d'une petite bande. Mais dès leur première rencontre, Mathieu le chef du clan et Julien se heurtent. La disparition mystérieuse d'un vélo, une bagarre, il n'en faut pas plus pour qu'éclate le drame.

299 **Le coupeur de mots**
par Hans-Joachim Schädlich

Sur le chemin de l'école, Paul rencontre un étrange personnage qui lui propose de faire ses devoirs à sa place. En contrepartie, ce colporteur diabolique lui demande de lui céder tous ses articles définis, puis ses prépositions et ses formes verbales... Paul accepte le marché mais désormais, il parle une langue appauvrie et va devoir faire face à des malentendus cocasses ...

300 **La fièvre du mercredi**
par Claude-Rose et Lucien-Guy Touati

Vincent et Nicole n'en peuvent plus. Leur emploi du temps du mercredi, prétendument jour de repos, est un vrai marathon... Comment faire comprendre aux parents qu'ils aimeraient un peu respirer le mercredi ?

301 **La croisade des grenouilles** **(senior)**
par Stephen Tchudi
Depuis des années, David Morgan, seize ans, élève des têtards prélevés dans le marais pour les observer avant de les rendre à leur eau natale. Mais, ce printemps-là, David apprend la construction prochaine d'un grand centre commercial après assèchement des lieux ! Avec son ami Mike, David lance une enquête et tente d'enrayer le projet...

302 **Rue Planquette**
par Sandrine Pernush
Elsa maudit Paris, la touffeur du mois d'août, cette rue Planquette où, désormais, elle devra habiter."On" l'a forcée à déménager,"on" l'a arrachée à Bordeaux, à sa meilleure amie. Elsa refuse de commencer une nouvelle vie. Pourtant, un après-midi d'orage, elle aperçoit un garçon sous un parapluie rouge...

303 **Nouvelles d'aujourd'hui** **(senior)**
par Marcello Argilli
Un éventail d'histoires courtes, à la fois cocasses, inquiétantes et tendres. La télévision, l'école, les robots, la magie des mots, les contes, le temps, le pouvoir de l'imagination... Autant de thèmes, traités avec humour et un sens critique décapant, qui laissent à penser, à réfléchir.

304 **Millie et la petite clé**
par Anne-Marie Chapouton
Millie vient d'arriver chez sa grand-mère. Elle va sûrement y vivre des aventures extraordinaires, comme à chaque fois. Quand elle trouve une petite clé dorée, elle a tôt fait de découvrir la porte nichée sous le lierre. Et la voilà dans un immense jardin enchanté. Au détour des sentiers, le long du chemin creux, Millie va aller de frayeurs en surprises...

305 L'enquête. Les enfants Tillerman (senior)
par Cynthia Voigt

A seize ans, James est mal dans sa peau.Toujours brillant en classe, il reste un solitaire qui se lie difficilement. Il voudrait en savoir plus sur ce père qui a abandonné sa femme et ses quatre enfants. James tente d'entraîner son frère dans son enquête. Sammy se laisse prendre au jeu, qui bientôt n'en est plus un...

306 Un cheval de prix
par Mireille Mirej

Nathalie, onze ans, est passionnée de chevaux. Pourtant, elle n'a jamais eu l'occasion de monter à cheval. Un télégramme fait basculer son univers : on lui offre un cheval. Comment héberger un tel animal quand on habite une cité de la banlieue parisienne ? La partie n'est pas facile à gagner...

307 José du Brésil (senior)
par Aurélia Montel

Au début du siècle, au Brésil, la vie est rude pour les paysans du Ceara. Quand le jeune José découvre le vieil homme qui l'a recueilli, mortellement blessé, c'en est trop pour lui. José entame alors une longue marche vers la côte qui le conduit jusqu'en Amazonie. Cependant, l'adversité, sous l'inquiétant visage d'un aventurier redoutable, s'attache aux pas de José...

308 Julie, mon amie gorille
par Francine Gillet-Edom

Hier encore, Aubrée était à Bruxelles et la voilà pour un mois au Zaïre. Lors d'une promenade à cheval avec son cousin, elle découvre un bébé gorille blotti auprès de sa mère morte. Mais, Julie, comme l'a prénommée Aubrée, suscite la convoitise des trafiquants. Pourra-t-on la ramener dans le sanctuaire des derniers gorilles des montagnes?

309 La maison en danger
par Marilyn Sachs
La maison des Ours, Fran Ellen l'adore. C'est une maison de poupée. La maîtresse a dit que le soir des vacances elle la donnerait à l'élève le plus méritant. Fran Ellen sait bien que ce ne sera pas elle : elle suce encore son pouce-à dix ans !-et d'ailleurs personne ne l'aime. En plus, à la maison, la vraie, rien ne va. Avec une volonté farouche, Fran Ellen va tenter de faire face.

310 Laura et le mystère de la chambre rose
par Jacques Delval
Pour lui éviter de longs trajets quotidiens entre l'école et la maison, Laura va habiter chez une grand-tante. Et voici Laura emportée dans une aventure des plus étranges. Quel mystère cache la vieille demeure ? Pourquoi ces bruits inquiétants, ces chambres toujours fermées à clef ?

311 Prune
par Luce Fillol
Prune, dix ans, se laisse aller à la douceur de vivre dans un nid douillet. Un jour, inexplicablement, le nid se lézarde, se fend comme une coquille fragile. Prune brutalement "réveillée" se trouve mêlée aux problèmes de ses voisins. Elle va lutter pour le bonheur des autres en espérant la réconciliation de ses parents.

312 La terre de Yenn (senior)
par Jean Coué
Il y avait alors le Bréac'h du bas avec ses toits d'ardoises, sa mairie et son clocher piqué sur le mouvant du ciel. Et il y avait le Bréac'h du haut. C'était une autre vie, une autre terre, isolée dans la profondeur de ses pierres, de ses moissons tardives. Une vie dure que Yenn, l'enfant du Bréac'h du bas, décide d'affronter.

313 La maison retrouvée
par Marilyn Sachs

Maman est guérie, la famille à nouveau réunie... Tout sera bientôt parfait, même si la petite sœur adorée tarde à se laisser réapprivoiser, même si la maison des Ours a durement souffert de ces deux ans d'abandon forcé. Mais, rien n'est plus comme avant, Fran Ellen s'en aperçoit vite. Le plus dur sera de l'accepter, et d'accepter de grandir sans se laisser abattre.

314 Le cannibale de Joséphine
par Roger Judenne

Dans la chaleur d'une fin d'après-midi, Robert Deprémesnil rejoint sa fille. Le riche planteur est heureux de lui offrir l'un des esclaves qu'il vient d'acheter. Le petit homme aux yeux vifs intrigue tout de suite Joséphine. Son imagination va l'entraîner à échafauder les hypothèses les plus folles...

315 Tu avais promis !
par Kathy Kennedy Tapp

Passionnées par l'univers de Tarzan, Erin et son amie se sont aménagé un refuge secret. De cet endroit caché, Erin va faire une découverte qui la bouleverse...Que se passerait-il à la maison si sa mère apprenait la vérité ? Et ses projets de vacances ? Avec la joie de vivre de ses douze ans, Erin décide de se battre..

316 Le défi d'Alexandra (senior)
par Scott O'Dell

Les Papidimitrios sont pêcheurs d'éponges depuis des générations. Au cours d'une plongée au large des côtes de Floride, le père est victime d'un accident. Sous la conduite de son grand-père, Alexandra décide de reprendre le difficile métier. Mais tous les dangers ne résident pas dans les profondeurs marines...

317 **Une page se tourne (senior)**
par Jenny Davis
Edda, au seuil de l'âge adulte, se penche sur son enfance avec un regard lucide et tendre. La vie n'a pas toujours été facile pour son petit frère et elle. Leur mère a été durement marquée par la mort accidentelle de leur père, et le fait qu'elle soit tombée amoureuse de l'homme responsable de l'accident n'a pas simplifié les choses.

318 **Une grand-mère d'occasion**
par Christine Arbogast
Finie la salle de jeux ! Les parents de Nicolas ont décidé d'y accueillir une pensionnaire. Et quelle pensionnaire ! La présence de Mme Ushuari va transformer bien des choses à la maison et dans la vie de Nicolas. Il faut dire qu'elle n'est pas une grand-mère comme les autres !

319 **Blaireaux, grives et compagnie**
par Molly Burkett
Chez la famille Burkett, les animaux ne font que passer, le temps de se refaire une santé avant de retrouver la liberté. Mais, que le séjour soit bref ou long, de la couleuvre au hérisson, chacun fait preuve d'imagination !

320 **Vie et mort d'un cochon (senior)**
par Robert-Newton Peck
Quand Robert trouve la vache du voisin en train de s'étouffer et le veau qui n'arrive pas à naître, il réussit à les tirer d'affaire comme un homme. En récompense, il recevra un cochon qui sera sa grande richesse. Mais, dans une ferme si pauvre, peut-on garder une bête seulement pour le plaisir?

321 **L'enfant multiple (senior)**
par Andrée Chedid
Marqué par la violence et la mort, Omar-Jo découvre Paris. Il rencontre Maxime le forain, qui laisse son manège à l'abandon. Et dans la nuit, les lumières s'allument, la musique éclate, la fête commence. L'enfant du malheur devient le messager de la joie.

322 **Sauvé par les éléphants**
par Hilary Ruben
Au cœur du Kenya, un jeune berger masaïs se fait attaquer et voler une partie du troupeau. Son cousin assiste à la scène sans intervenir. Abandonnant Konyek blessé, il rentre au village pour raconter une version tout à son avantage. Konyek arrivera-t-il à retrouver son bien et la confiance des siens ?

323 **Drôle de Noël !**
par Wolf Spillner
La grand-mère de Hans a pour seule compagnie un pigeon. L'animal vit dans sa cuisine, ce que sa belle-fille ne peut supporter. Le jour de Noël, il voit sa mère le pigeon mort à la main. Elle prétend l'avoir tué sans le vouloir. Hans tente alors de comprendre les sentiments de chacune.

324 **La famille dispersée. Le Train des orphelins.**
par Joan Lowery Nixon
En 1860 à New York, une famille d'origine irlandaise est frappée par le malheur. La situation désespérée oblige Mme Kelly à envoyer ses six enfants avec le Train des orphelins. Là-bas, dans l'Ouest, ils sont adoptés par différentes familles. Frances, l'aînée, raconte comment ils affrontent les séparations et les aventures de leur nouvelle vie.

325 **Le Chasseur de Madrid**
par José Luis Olaizola

Juan Lebrijano et sa famille quittent leur village pour s'installer à Madrid. Bientôt, il perd son emploi. Au cours d'une promenade dans un parc avec son fils Silverin, Juan a l'idée de chasser les pigeons pour nourrir sa famille. C'est défendu par la loi, et Silverin va vivre bien des péripéties, il jouera même dans un film.

326 **Dégourdis à vos marques**
par Edouard Ouspenski, Els de Groen

Bien des obstacles séparent Youri, soviétique, de Rosalinde, une amie hollandaise. Un concours international d'enfants modèles leur fournira-t-il l'occasion attendue ? La sélection impitoyable des candidats et la présence de voleurs d'enfants se conjuguent pour offrir un récit plein de suspense et d'humour.

327 **La montagne aux secrets (Senior)**
par Grace Chetwin

Dernier-né de dix enfants, Gom grandit sur la montagne avec son père bûcheron. Les gens du bourg regardent de travers ce garçon qui ressemble trop à sa mère, une étrangère. Il a l'œil trop vif, la langue trop bien pendue, et il semble savoir bien des choses pour un enfant de la montagne.

328 **Petit-Jean d'Angoulême**
par Chantal Crétois

Au début du XIIe siècle, Gianbatista, le sculpteur italien, arrive à Angoulême après un long voyage à cheval depuis Toulouse. À l'entrée de la ville, un jeune garçon, Petit-Jean, se propose de le guider jusqu'au chantier de la cathédrale et de lui trouver un logement. Mais la profonde affection qui les unit bientôt suscite bien des conflits avec leur entourage.

329 Un creux dans le mur
par Anne-Marie Chapouton

Parce que son père n'est pas revenu de la guerre, une fillette refuse d'apprendre à lire. Recueillie à la mort de sa mère par son oncle et sa tante, elle n'a pas une vie facile.Un jour, un homme s'arrête à la ferme. Aïna est certaine qu'il s'agit du voleur de troupeaux dont on parle tant. Malgré sa méfiance, une étrange relation s'instaure entre eux...

330 Les fantômes de Klontarf
par Colin Thiele

Matt et Terry vont jouer dans la colline. Un orage éclate, Terry tombe et se casse la jambe ! Matt laisse Terry à l'abri d'une demeure abandonnée. Lorsque les secours arrivent, Terry, prétend avoir vu des fantômes... Malgré l'hostilité des propriétaires de la vieille ferme, Matt et ses amis n'abandonnent pas. Ils vont affronter le danger pour découvrir quels mystères cachent ces vieux murs...

331 Très chers enfants (Senior)
par Christine Nöstlinger

Ce recueil est celui des lettres qu'Emma, âgée de soixante-quinze ans, aurait aimé adresser à sa famille. Parfois ironique, toujours drôle, le ton est celui d'une grand-mère soucieuse du bonheur de son entourage... et du sien.

332 Un bateau bien gagné
par Lee Kingman

Alec rêve depuis toujours d'avoir son propre bateau. Il est sûr de gagner celui de la tombola de la fête de la Mer. Hélas ! Et la vieille dame qui a gagné le canot compte le mettre sur sa pelouse et le garnir de pétunias ! Alec ne peut laisser faire une telle horreur !

333 Dans l'officine de maître Arnaud
par Marie Christine Helgerson

À Reims, au Moyen Âge, Thierry, fils d'un sculpteur veut être médecin pour guérir les lépreux. Il aime Margotte, une jongleuse acrobate. Les recherches de maître Arnaud, son professeur, progressent mal. Vivre avec Margotte ? Poursuivre ses études ailleurs ? Thierry devra choisir.

334 Pris sur le fait. Le train des Orphelins.
par Joan Lowery Nixon

En 1860, à New York, une famille irlandaise est frappée par le malheur. Mme Kelly est obligée d'envoyer ses six enfants dans le train des Orphelins vers l'Ouest. Ils sont adoptés par des familles différentes. Mike a été recueilli par les Friedrich, pour travailler à la ferme. Très vite, Mike va soupçonner M. Friedrich d'avoir commis un meurtre.

335 Ma patrie étrangère (Senior)
par Karin König, Hanne Straube, Kamil Taylan

Oya a grandi à Francfort et s'y sent chez elle. Ses parents décident un jour de rentrer en Turquie. Cette nouvelle bouleverse Oya qui ne pourra plus faire ses études d'infirmière. Et voilà que ses parents parlent déjà de fiançailles.

336 À la dérive sur le Mississippi
par Chester Aaron

Albie vit dans une vieille ferme du Wisconsin, près des berges du fleuve. Trop près, car à chaque printemps reviennent les crues. Alors qu'il est seul, le garçon se réveille en pleine nuit dans une maison flottant sur les eaux furieuses du Mississippi. Un puma, animal redouté des pionniers, se retrouve bloqué avec lui. Au milieu des eaux boueuses, Albie lutte pour sa survie.

337 Une fille im-pos-sible (Senior)
par Cynthia Voigt

À onze ans, Mina vit un rêve : un stage de danse classique. À douze ans, le rêve se brise. Son corps s'est transformé trop vite, et Mina maîtrise mal ce bouleversement. Meurtrie, elle s'interroge : seule Noire du groupe, n'est-ce pas la raison de son exclusion ? Mais Mina a de la volonté. Rien ne saurait l'arrêter, même pas le caractère d'oursin d'une certaine Dicey Tillerman.

338 Passage de la Main-d'Or
par Laurence Lefèvre

Estelle et Antoine Bonnard, leurs enfants -Victor et Indiana-, emménagent dans un vieil atelier du XI e arrondissement de Paris. Indiana rencontre un curieux jeune Anglais amnésique. D'où vient-il ? Pourquoi a-t-il si peur des chats ? Un vent de folie souffle sur le passage de la Main-d'Or.

339 Des ombres sur l'étang
par Alison Cragin Herzig

Jill et Marion se retrouvent chaque été dans le Vermont. Leur domaine secret se cache au milieu d'un étang formé par un barrage de castors. Cet été-là, les castors sont menacés par un trappeur. Les deux amies décident de protéger leur territoire.

340 Face au danger. Le train des Orphelins.
par Joan Lowery Nixon

Ce troisième livre nous narre la vie de Maguy. Celle-ci est heureuse d'avoir été choisie par un couple plein de gentillesse, elle pense avoir enfin conjuré le mauvais sort qui s'acharnait sur elle et les siens. Pourtant de nouvelles épreuves l'attendent. Confrontée au danger, Maguy découvre son courage et sa force morale.

Titres parus :

- Les astéroïdes
- Les astronomes d'autrefois
- La colonisation des planètes et des étoiles
- Comètes et météores
- Les comètes ont-elles tué les dinosaures ?
- Comment est né l'Univers ?
- Fusées, satellites et sondes spatiales
- Guide pour observer le ciel
- Jupiter : la géante tachetée
- La Lune
- Mars, notre mystérieuse voisine
- Mercure : la planète rapide
- Les mythes du ciel
- Neptune : la planète glacée
- Notre système solaire
- Notre Voie lactée et les autres galaxies
- Les objets volants non identifiés
- Pluton : une planète double ?
- La pollution de l'espace
- Pulsars, quasars et trous noirs
- Saturne et sa parure d'anneaux
- Science-fiction et faits de science
- Le Soleil
- La Terre : notre base de départ
- Uranus : la planète couchée
- Vie et mort des étoiles
- Vols spatiaux habités
- Y a-t-il de la vie sur les autres planètes ?

A paraître :

- Les programmes spatiaux dans le monde
- Vénus derrière ses voiles
- Astronomie : mode d'emploi
- Etre astronome aujourd'hui

Demandez-les à votre libraire

Cet
ouvrage,
le trois cent
quarante-neuvième
de la collection
CASTOR POCHE,
a été achevé d'imprimer
sur les presses de l'imprimerie
Brodard et Taupin
à La Flèche
en décembre
1991

Dépôt légal : janvier 1992.
N° d'Édition : 16755. Imprimé en France.
ISBN : 2-08-162206-8
ISSN : 0763-4544
Loi n° 49-956 du 16 juillet 1949
sur les publications destinées à la jeunesse.